CERD

Argraffiad Cyntaf—Mai, 1957
Ail Argraffiad—Gŵyl Dewi, 1958
Trydydd Argraffiad—Ebrill, 1959
Pedwerydd Argraffiad—Mehefin, 1961
Pumed Argraffiad—Hydref, 1976
Chweched Argraffiad—Ebrill, 1984

ISBN 0 86383 048 X

Cerddi Gwlad ac Ysgol

Golygwyd gan

T. LLEW JONES

CYFLWYNIAD

AT y llyfrau a symbylwyd eisoes gan Bwyllgor Addysg Ceredigion, dyma gyfrol o waith beirdd y Sir a rydd enghreifftiau o'u gwaith dros y canrifoedd o Ddafydd ap Gwilym hyd at ein dyddiau ni. Mawr fu llafur y Golygydd a'i Banel cynorthwyol ar y gwaith a rhaid diolch iddynt am eu hymroddiad. Hoffem feddwl y bydd y gyfrol hon mor dderbyniol â *Gemau Ceredigion* a ddaeth o law Mr. Jenkin James ar ddechrau'r rhyfel mawr cyntaf. Diddorol yw cymharu y ddau gasgliad gan graffu ar y farddoniaeth newydd a gynhyrchwyd ar ôl cyhoeddi'r *Gemau*. Gobeithio y bydd y gyfrol newydd yn rhoi pleser i'r darllenwyr ac yn profi'n ysbrydoliaeth i eraill i ddod yn feirdd. Diau y cyfyd eto Brif-feirdd o Geredigion.

Mawrth, 1957

M. LL. G. WILLIAMS, *Cadeirydd*
J. HENRY JONES, *Cyfarwyddwr*
Ar ran Pwyllgor Addysg Ceredigion

ARGRAFFWYD GAN J. D. LEWIS A'I FEIBION CYF.
GWASG GOMER, LLANDYSUL

RHAGAIR

DYMA gyfrol arall a welodd olau dydd trwy ymdrechion bendithiol Pwyllgor Llyfrau Cymraeg Sir Aberteifi.

Casglwyd y detholiad hwn o farddoniaeth ar gyfer plant Ysgolion Cynradd ac Uwchradd yn fwyaf arbennig, ond fe ddylai apelio hefyd at bobl sy'n caru barddoniaeth, beth bynnag fo'u hoed ; oblegid, nid darnau wedi eu hysgrifennu "i blant" a geir ynddo.

Am ddwy flynedd yn unig y bûm yn casglu, ac o gofio yswildod a hwyrfrydigrwydd naturiol beirdd, fe gytunir fod y cyfnod yn rhy fyr o'r hanner !

Ynglyn â'r dewis a'r dethol, fe gefais gymorth ysgolfeistri, athrawon a gwŷr a gwragedd llên o bob cwr o'r Sir. Pan oedd y casglu ar ei hanner fe yrrwyd copi o'r detholiad i nifer fawr o'r bobl hyn ynghyd â chais am gynghorion ac awgrymiadau. Fe gafwyd ymateb da i'r apêl ac fe fu'r awgrymiadau'n gymorth mawr i mi wrth fynd ymlaen. Ond yr oedd y dewis terfynol bob amser yn eiddo i Banel Golygyddol y Pwyllgor Llyfrau Cymraeg, ac os gwêl rhywrai wendidau yn y gwaith, y Panel hwnnw biau'r cyfrifoldeb amdanynt. Yn yr un modd, os oes iddo ragoriaethau, eiddo'r Panel Golygyddol y clod am hynny.

Carwn ddiolch yn bersonol i'r beirdd am eu cyfraniadau gwerthfawr.

Ymddangosodd nifer o'r darnau hyn mewn llyfrau, cylchgronau ac wythnosolion a charwn ddiolch yn gynnes iawn am ganiatâd i'w defnyddio yma.

Carwn ddiolch hefyd i'r nifer fawr o gyfeillion a fu'n fy nghynorthwyo gyda'r gwaith i gyd.

COEDYBRYN,
LLANDYSUL

T. LLEW JONES

NODIAD.—Os am ddefnyddio darnau o'r gyfrol hon danfoner am fanylion hawlfraint at y Cyhoeddwyr, J. D. Lewis a'i Feibion, Cyf., Gwasg Aberystwyth, Aberystwyth.

CYNNWYS

ENGLYNION

PENILLION

EPIGRAMAU

I. NATUR

Y DDEILEN GRIN

DDEILEN felen fach ar ben Lôn Teirlon,
  O dan gysgod oer y gwŷdd di-wên,
Dyn a Daear sy'n anghofio'n greulon
  Am yr hardd ieuenctid a fu gynt i'r hen.

Gwyrdd ac ieuanc fuost tithau unwaith,
  Pan oedd dyddiau'n heulog ac yn hir,
A deellaist nwydus ganu bronfraith
  A mwyalchen ar y cangau ir.

O daeth heibio iti wyllt gawodydd,
  Ymhyfrydaist yn eu bendith hwy,
A chellweiriaist wedyn gyda'r hwyrddydd
  Ag awelon hoywon fwy na mwy.

Hapus oeddit, oni welwyd lledu
  Parlys rhyfedd dros y dail i gyd,—
A gwybuost tithau erbyn hynny
  Fyrred einioes deilen yn y byd.

Ar wasgar mae dy ffrindiau, ddeilen fechan
  Gwaelion ydynt hwythau fel tydi,
Ac os ydyw'r ddaear heno'n cwynfan,
  Nid yw'n cwynfan dim am rai fel chwi !

Ddeilen felen fach ar ben Lôn Teirlon
  O dan gysgod oer y gwŷdd di-wên,
Dyn a Daear sy'n anghofio'n greulon
  Am yr hardd ieuenctid a fu gynt i'r hen.

PROSSER RHYS

Y LLWYN BANADL

Pan ddel Mai a'i lifrai las
Ar irddail i roi'r urddas,
Aur a dyf ar edafedd
Ar y llwyn er mwyn a'i medd.
Teg yw'r pren a gwyrennig,
Y tyf yr aur tew o'i frig ;
Aur gawod ar y gwiail
Duw a roes, di-fai yw'r ail ;
Blodau gorau a garwn,
Barrug haf ydyw brig hwn.

DAFYDD AP GWILYM

HA' BACH MIHANGEL

I fyny'r dyffryn fe'i gwelais yn dod
Mor debyg i'r Haf ag y gallai fod,

Gan ddiog hamddena'n yr haul ar y rhiw,
Ar tes yn chwarae ar ei wisgoedd lliw.

Guto yn llewys ei grys ar y das
A'r gwyddau'n rhodianna'n y soflydd cras.

Ni ddaeth i feddwl neb yn y byd
Fod dim ond hawddgarwch dan ei gochl clyd.

Nes clywed y cynydd â'i dalihô
Yn galw'i fytheuaid i goed y fro.

ALUN JONES

NYTH Y WENNOL

Tan fargod y sgubor mae bwthyn bach tlws,
A'r wennol yn gorwedd â'i phig yn y drws,
Mae'n ddiogel fan honno rhag curyll a'i frath,
Yn saff rhag y llygod, yn rhy uchel i'r gath.

Un stafell sydd iddo, ond mae'n un fach glyd,
A phlu yn addurno ei muriau i gyd,
Bydd cryn hanner dwsin o blantos bach, tlws
Cyn diwedd y gwanwyn yn pipo drwy'r drws.

* * *

Mae'r haf wedi dyfod, a'r plant yn un rhes
Ar gribyn y sgubor yn tiwnio'n y tes,
A'r fam yn tacluso y bwthyn a'i gloi,
Daw amser ymfudo, mae'n rhaid paratoi.

Maent oll yn trywanu fel mellt trwy y nen
A'u gwyliau yng Nghymru yn dirwyn i ben,
Rhaid cilio i'r Affrig dros fynydd a dôl,
Ond bydd nyth yn y bondo'n eu disgwyl yn ôl !

ISFOEL

TYLLUAN

Daw i wal hen adeilad—o li'r haul
I roi hoe i'w llygad ;
A daw i glyw o goed gwlad
Ei llwon dan y lleuad.

DAFYDD JONES

MAE LLAW Y GAEAF

MAE llaw y gaeaf oer
Yn cloi pob nant a llyn,
A bysedd bach y coed
I gyd mewn menig gwyn ;
A'r adar wrth y drws
Yn printio'r eira'n dlws.

Nid oes mewn llwyn na gardd
Un nodyn bach o gân,
A saif y coed yn syth
Mewn gwisg o berlau glân ;
Ond fe ddaw'r haul cyn hir
I gipio'r perlau clir.

Caraf y gaeaf byth,
Er oerni'i awel fain,
Am ddod â gynau gwyn
I'r coed a'r llwyni drain ;
A'r adar wrth y drws
Yn printio'r eira'n dlws.

J. M. EDWARDS

GUTO A'R GWDIHW

'DYW hi ddim yn nos eto ;
  Pa eisiau mynd i'r tŷ ?
Mae'r da ar y clos eto,
Ac mae darn o'r dydd ar y rhos eto :
"Gwdihw, Gwdihw,"
  Ydyw mae'n gystal mynd i'r tŷ.

"Dere at dy fwyd Guto !"
  Bwyd a llais tirion mam :
"Wyt ti'n edrych yn o lwyd Guto,"
  "Na 'rwy'n burion mam."
"Wyt ti, bachgen tlws mam ?"
"Gwdihw, Gwdihw."
A baroch chi'r drws mam ?

Tynnu 'nillad a'u rhoi i gyd
  Yn swp ar y gader eto :
Ar gysgu, a'r byd yn troi i gyd,
A'i hwyl a'i helynt yn ffoi i gyd :
"Gwdihw, Gwdihw."
  Codi at y gader eto
  I ddweud fy mhader eto
"Gwdihw, Gwdihw"
"Ein Tad yr hwn wyt yn y Nefoedd . . ."

WIL IFAN

CAROL HAF

MAE'R nen yn ei glesni a'r blodau mewn ffresni,
  A'r haul sydd yn codi yn heini ddydd haf ;
Myneged fy nghalon ei diolch yn gyson
  Am swynion câr hylon carolaf.

Mae'r adar yn canu, a'r bore yn llamu,
  A'r awel yn mynnu ein tynnu o'r tŷ ;
Daw'r ceiliog a'i ganiad, daw'r wawr a'i gwahoddiad,
  O'i chodiad daw galwad o'r gwely.

Daw gwres i'r dyffrynnoedd, y lleiniau a'r llynnoedd,
A haul ar fynyddoedd a ffriddoedd ar ffrwst ;
Pob man fydd yn olau, yn iachus, a minnau
Heb boenau na nodau anwydwst.

Ar nawnddydd ceir heulo, ymorwedd a morio,
A'r wylan yn cwyno wrth hwylio mewn haul ;
A mwyniant i minnau yw aros am oriau
Ar lannau mawr erwau môr araul.

Hawddamor i'th ddyddiau a thoreth dy ffrwythau,
Cawn hyfryd aroglau ar dwynau a dôl ;
Ar wely o flagur gorffwysaf o'm llafur—
Iach dolur cysgadur cysgodol !

D. JACOB DAVIES

BORE O IONAWR

Heddiw mae'r meysydd yn wyn
Ond nid yn wyn i'r cynhaeaf,
Ni thry'r un felin ei rhod
I lafuriau barrug y gaeaf.

Gofidia'r fronfraith a'r dryw
Iddi rewi mor galed neithiwr ;
Ond mae'r ffyrdd fu'n bydelau dŵr
Yn sych a hwylus i'r teithiwr.

Mae aml Blas Crisial bach
Hyd y lôn yn brydferthaf restri ;
A minnau fel pob hogyn drwg
Yn cael hwyl wrth dorri ffenestri.

WIL IFAN

BRYSIA FAI

Brysia, Fai, mae gennyf nyth
  Eisiau'i chuddio ar lôn Llangewydd ;
Dros y brigau du yn syth
  Bwrw glog o lasddail newydd.

Gwn na fu y saer yn ddoeth,
  Y gŵr du â'r pigyn melyn,
I ddewis llwyn sy'n hanner noeth,
  Yn lle diogelwch y pren celyn.

Ond yma mae y nyth yn awr,
  A'r gwynt a'r llanciau'n gweld y cwbwl ;
Rhwng plantos bach a thywydd mawr,
  Hawdd dychmygu'r loes a'r trwbwl.

Oeda, Fai, os mynni'n hir
  Cyn creu'r byd i gyd o newydd,
Ond er ein mwyn ni'n dau, yn wir,
  Brysia, brysia i lôn Llangewydd.

WIL IFAN

GWYNT Y DWYRAIN

Du oerwynt, gwae aderyn,—oer ei fin
  Ar fy wyneb glaswyn,
Oer ei gri ym mrigau'r ynn,
A'i floedd uwch beddau'r flwyddyn.

T. LLEW JONES

YR ALARCH

Yr alarch ar ei wiwlyn,
Abid galch fel abad gwyn ;
Llewych edn y lluwch ydwyd
Lliw gŵr o nef, llawgrwn wyd.

Gwaith teg yw marchogaeth ton
I ragod pysg yr eigion ;
Dy enwair, ŵr di-anardd,
Yn wir, yw'r mwnwgl hir hardd.
Ceidwad goruwch llygad llyn,
Cyfliwiaidd cofl o ewyn,
Gorwyn wyd uwch geirw y nant
Mewn crys o liw maen crisiant ;
Dwbled fel mil o lili,
Wasgod teg, a wisgud di,
Siaced o ros gwyn it sydd,
A gŵn o flodau'r gwinwydd.

DAFYDD AP GWILYM

Y PAUN

Dulas ydyw'r dail sidan,
Duwyrdd a meillionwyrdd mân ;
Tebyg yw, mal y tybiem,
I'r bwa glaw, â'r big lem.

Gan baun ni a gawn beunydd
O'r dail i ddifyrru'r dydd,
Ac a gawn, liw gwan gwynhaul,
Blodau'r haf ar belydr haul.

DEIO AB IEUAN DU

MR. PIGOG

A WELSOCH chi'r draenog ? Naddo 'rwy'n siwr ;
Peth anodd yn wir yw cael cip ar y gŵr.

Ni chwyd o'i wâl dan y drysi tew
Pan fo ia ac eira, cesair a rhew.

Ond pan ddaw'r Gwanwyn a'r Haf i'r fro,
Fe ddaw Mr. Pigog allan am dro.

Fe guddia'n y clawdd tra bo'r haul yn yr wybr,
Ond gyda'r nos, dacw fe ar y llwybr !

Dyna goesau byrion ! Wel ! dyma drefn,—
Ai cap yw'r peth pigog sydd ar ei gefn ?

Dewch ar ei ôl,—y mae'n gorwedd i lawr !
O'r gwirion bach ! Fe'i daliwn yn awr.

Hylo ! Be' sy'n bod ? I ble'r aeth y tsiap ?
Tawn i heb ffoi ! Y mae'n cuddio'n ei gap !

Ei wasgu â'th droed ? Na paid da thi !
Ni wnaeth yr un niwed, am wn i.

Gad iddo'n llonydd i guddio'n ei gap,
Pan awn ni o'r golwg, fe ddaw allan chwap.

CLEDLYN

CLACWYDD YR HENDRE

MAE'r eira yn disgyn, a gwyn yw'r byd,
Nesáu y mae dyddiau'r Nadolig,
A phan fo'r pentre yn llawen i gyd,
Pwy yw hwn sydd yn drist ac yn unig ?

Pwy yw ef nad yw'n disgwyl Nadolig i ddod ?
Mi a'i gwelais ef ddoe wrth fynd adre,—
Y tristaf, 'rwy'n siwr, o bawb is y rhod,—
Efe ydyw Clacwydd yr Hendre.

Ffarwel i'r hen ddyddiau ar wyneb y llyn,
Lle y nofiaist,—tydi a'r hwyaden.
'Roedd dy big di yn felyn a'th fron di yn wyn,
Ce'st glegar a lledu'th ddwy aden.

Ond trist ydyw'r hwyaid a'r ieir a'r moch,
A thrist ydyw'r hen gaseg wine,
A brefu yn isel wna'r hen fuwch goch,—
"Ffarwel, hen Glacwydd yr Hendre !"

Ie, dedwydd yn wir oedd y dyddiau i ti,
Ond nesáu y mae dydd dy ddihenydd.
Af finnau yn barchus i gasglu dy blu
Yn esmwyth o fewn fy ngobennydd.

Ac yna, mewn breuddwyd yn nyfnder y nos,
Pan fo cwsg ar drigolion y pentre,
Caf dy weled di eto yn frenin y clos,—
Ffarwel, hen Glacwydd yr Hendre.

IDWAL JONES

NYTHOD Y BRAIN

MAE stryd o dai yng ngoed Blaen-cwm,
A'r mamau'n dweud eu pader,
Y plant i gyd yn cysgu'n drwm
A'r gwynt yn siglo'r gader.

Ni fu yr un cynllunydd fry
Yn trefnu'r mesuriadau,
Dim ond rhyw saer mewn dillad du
Fu'n codi'r adeiladau.

Cadwyd telerau'r "Cyngor"—do,
Parchwyd pob deddf a rheol,
Gofalwyd codi'r tŷ bob tro
Yn ddigon pell o'r heol.

Rhyw syllu tua'r nen a'r ddôl
Y maent 'run fath â'r llynedd,
Disgwyl i'r heuwr ddod yn ôl,
Dyna i chwi amynedd !

ISFOEL

YR EIRA

MALURIODD cwmwl eira,—plu filoedd
Sy'n palfalu'n ara',
Ni wn fel y disgynna
Na phle'r wyf yn y fflwr ia.

ISFOEL

TEULU DEDWYDD

'SLAWER dydd,
fe aeth ebol, oenig a myn,
cyw bach melyn a llo du a gwyn,
gyda chenau ci,—do'n siwr i chi,—
mewn llong i fyny'r sianel
i weld y byd, yn ôl y wheddel.
A phan ddychwelsant
i'r hen gwm a adawsant,
'roedd yr ebol yn gaseg,
yr oenig yn ddafad,
y myn yn afr,
y llo yn fuwch,
y cenau yn ast,
a'r hen gyw bach melyn yn iar.

Ac yno wrth eu sodlau'n llon ac iach,
fe welwyd yn dilyn chwech o rai bach.
Ac un prynhawn, wedi sgwrs fach ynghyd,
heb wybod i'w mamau, i weld y byd
fe aeth ebol, oenig a myn
cyw bach melyn, a llo du a gwyn,
gyda chenau ci
mewn llong dros y lli.
A phan ddychwelsant
i'r hen gwm a adawsant,
'roedd yr ebol yn geffyl,
yr oenig yn hwrdd,
y myn yn fwch,
y llo yn darw,
y cenau yn gi,
a'r hen gyw bach melyn yn geiliog.

Maent yn awr yn byw mewn ffarm fach ddel,
gyda'u perch'nogion,—Siencyn a Nel.
Nid ant byth mwy mewn llong dros y lli.
"Mae'n well mewn ffarm"—medden' nhw wrthyf i.
Os ewch i Gwm-clyd,
fe'u gwelwch ynghyd,
y ceffyl a'r gaseg,
yr hwrdd a'r ddafad,
y bwch a'r afr,
y tarw a'r fuwch,
y ci a'r ast,
i gyd yng ngofal Sianti-clir a'r iar.

GWILYM CERI JONES

Y LLEUAD

Fe gâr y lleuad fod allan y nos
Ar fryn ac ar lyn ar waun ac ar ros ;
Hi wêl y lleidr o amgylch y tŷ,
A'r brain yn y pinwydd yn clwydo fry.

Hi ddeil ei lamp i'r llygoden lwyd
Ac i'w chefnder—yr ystlum—i hel eu bwyd ;
Ac i blant y nos yn y coed a'r cae
Sy'n chwilio'n lladradaidd am eu prae.

Daw'r cathod a'u côr ar ei hamnaid hi
I ben y mur ; ac fe uda'r ci.
Hithau'r dylluan â'i nodau oer
A dry'n gantores yng ngolau'r lloer.

CLEDLYN

LILI WEN FACH

FLODYN bychan, sut y mentraist
  Droi i fyd mor oer,
Lle mae'r iâ a'r llwydrew'n gloywi
  Dan belydrau'r lloer ?

Pam y plygi ben mor wylaidd
  Fy mlodeuyn llon,
Dwed, ai deigryn sy'n disgleirio
  Ar dy dyner fron ?

O mor eiddil yr edrychi,
  Ac mor wyn dy foch !
Eto, cryfach wyt na'r stormydd
  A'r corwyntoedd croch.

Er mor fitw, medri herio
  Gwynt y rhew a'r glaw,
A dywedi wrth fynd heibio
  Fod yr haf gerllaw.

MEGAN LLOYD ELLIS

HA' BACH MIHANGEL

DYDDIAU braisg o dywydd braf—cyn dyfod
  Cno deifiol y gaeaf,
Ail bwt o haul, bitw haf
Yn niwedd y cynhaeaf.

JOHN LLOYD JONES

CANU

Mi genais gân i las y llwyn,
  A chân i lili'r dŵr,
A chân yn wir, i rug y gors,
  A'r llygad dydd 'rwy'n siŵr ;
Ond ni wn i, fioled lân
Paham na chefaist dithau gân.

Mi genais gân i was y dryw,
  A chân i lwyd y to,
A chân yn wir, i'r asgell fraith,
  A glas y dorlan, do :
Ond, goch y berllan, ni wn i
Paham na chenais gân i ti.

Er tloted fydd fy mhennill wrth
  Dy sawr, fioled lân,
Daw eto hwyl, a rhof i ti
  A'r coch y berllan gân ;
A chwi gewch wybod gennyf i
Paham na chenais gân i chwi.

D. LLOYD JENKINS

YR HEN GEFFYL

Ei hir oes yn y tresi—a dreuliodd
    Hyd yr olaf egni ;
  Lle bo'r wedd a'i llwybr hi
  Ni wêl wanwyn eleni.

FRED WILLIAMS

ADERYN Y MYNYDD

SERAFF bach yr unigeddau
  Yn y grug a'r hesg,
Ar y mynydd yn telori
  Heb un nodyn llesg.

Oer yw min yr awel heddiw,
  Noeth yw llethrau'r twyn,
Tithau'n cadw'r gân yn gynnes
  Yn dy fynwes fwyn.

Wele'r haf yn nychu, nychu
  Weithion dan dy droed,
Hydref gyda'i bwyntil gwawdus
  Obry yn y coed.

Aros yn dy gartref uchel,
  Cân uwch storm a chlwy',
Pe cawn i dy ryddid heddiw,
  Ni ddisgynnwn mwy.

DEWI EMRYS

DWY GOLOMEN

CAWSOM aeaf caled,
  Ac eira drwy led y llan :
'Roedd gwynt y dwyrain yn aros
  Beunydd yn yr un man ;
A minnau'n brin fy ngobaith,
  A phrinnach fyth fy ffydd,
Mi welais ddwy golomen
  Yn hedeg uwch y gwŷdd.

EUROS BOWEN

gwŷdd = coed.

Y GWNINGEN

UN sionc yw'r gwningen, bywiog a thwt ;
Llwyd yw ei siaced a gwyn ei chwt.

Hir yw ei chlust, a dyna dric
Yw dala Miss Pws,—mae'n clywed mor gwic !

Awn gyda'n gilydd i'w gweld ; ond ust !
Rhaid cerdded yn gynnil,—main yw ei chlust.

(Bow ! Wow ! Wow !)

O ! fe gyfarthodd 'rhen Foss y ci
A dacw hi'n rhedeg—i ffwrdd â hi !

Hi red fel y gwynt trwy'r borfa fras
A Moss wrth ei sodlau. Dyma hi'n ras !

Am y cyntaf yr ânt am dwll yn y clawdd ;
Ha ha ! y mae Pws yn cario'n hawdd.

Fe gyrraedd y gota ei chartre'n iach,—
Ond i Moss y ci y mae'r drws yn rhy fach.

CLEDLYN

YR HIRLWM

ADEG dysgub ysgubor,—hir gyni
A'r gwanwyn heb esgor,
Y trist wynt yn bwyta'r stôr
Hyd y dim rhwng dau dymor.

ALUN JONES

SŴN

Liw nos ni chlywir medde' nhw
Ond hwtian oer y Gwdi-hŵ,
Mae pawb a phopeth yn y cwm
Yn ddistaw bach—yn cysgu'n drwm.

Ond celwydd noeth yw hynny i gyd,
Mae'r nos yn llawn o sŵn o hyd.
Mi glywais i un noson oer
Sŵn cŵn yn udo ar y lloer.

A chlywais unwaith, ar fy ngair,
Sŵn llygod bach yn llofft y gwair,
Rhyw sŵn fel sŵn y gwynt drwy'r dail,—
Rhyw gyffro bach, a sibrwd bob yn ail.

Mi glywais wedyn ar ôl hyn
Grawcian brogaod yn y llyn,
A chlywais unwaith ar fy ngwir
Gipial y llwynog o'r Graig Hir.

Pan ddring y lloer a'r sêr i'r nen
A sŵn y byd i gyd ar ben,
Pan gilia pawb i'r tŷ o'r clos,
Caf gyfle i wrando ar leisiau'r nos.

T. LLEW JONES

DAWNS Y DAIL

FE waeddodd Gwynt yr Hydref,
Mae'n waeddwr heb ei ail,
"Dewch i sgwâr y pentre i gyd
I weled dawns y dail."

" 'R wy'n mynd i alw'r dawnswyr
O'r perthi ac o'r coed,
A byddant yma cyn bo hir
Yn dawnsio ar ysgafn droed."

I ffwrdd â Gwynt yr Hydref
A'i sŵn fel taran gref,
A chyn bo hir fe ddaeth yn ôl
A'r dawnswyr gydag ef.

Oll yn eu gwisgoedd lliwgar
O'r glyn a choed yr ardd,
Rhai mewn melyn, gwyrdd a choch
A rhai mewn porffor hardd.

A dyna'r ddawns yn cychwyn !
O dyna ddawnsio tlws !
A chlywais innau siffrwd traed
Wrth folltio a chloi'r drws.

Ond pan ddihunais heddiw
'R oedd pibau'r gwynt yn fud,
A'r dawnswyr yn eu gwisgoedd lliw
Yn farw ar gwr y stryd.

T. LLEW JONES

HEN ŴR O'R COED

(Orang Utang, yn y Zoo yn Llundain)

HEN ŵr o'r coed !
  Buost gynt mewn fforest ddwys yn deyrn ;
Ond heddiw yn lle'r gwiail glas,
  Y barrau heyrn.

Hen ŵr o'r coed !
  Mor sarrug ar dy sypyn gwellt,
'Does ryfedd fod dy lygaid du
  Yn poeri mellt.

Hen ŵr o'r coed !
  Mae'r dorf yn gwenu o gylch dy gell,
Heb gofio am dy gaethglud oer
  A'th gartref pell.

Hen ŵr y coed !
  Nid chwerthin sy'n fy nghalon i,
Ond syndod clwyfus, dicter mud
  A dagrau'n lli.

Hen ŵr o'r coed !
  Oes hiraeth arnat am dy fro,
Am heulwen gynnes ar y dail
  Yn Borneo ?

Hen ŵr o'r coed !
  Dywedant dy fod tithau'n un
O'r teulu, er dy fod mor swrth
  A gwael dy lun.

Hen ŵr o'r coed,
Paham y ffoist i'r allt mor ffôl
Gan lechu ar y llwybrau du
Mor bell ar ôl ?

Hen ŵr o'r coed !
'Rwyt bellach wedi colli'n hiaith ;
Mae haearn rhyngom ni ein dau
A muriau maith.

Hen ŵr o'r coed !
Fu gynt mewn fforest ddwys yn deyrn—
Tybed a ddryllia Duw, ryw ddydd,
Y barrau heyrn ?

WIL IFAN

Y LLIF

Fe ruthrai'r nant dan y ganllaw,
Yn ferw o drochion i'r glyn,
A sŵn y stormydd yn llanw'i llais
Wrth noethi ei dannedd gwyn.

Fe'i gwelais hi gynt ym Mehefin
A'i dŵr megis llinyn main,
A'i thincial esmwyth yn toddi'n bêr
I heddwch hynafol y llain.

Ond heddiw fe droes yn lladrones,
A dacw hi'n ffoi dros y ddôl !
A chan fod boncyffion yn chwipio'r dwr
Ni thâl iddi edrych yn ôl !

JOHN RODERICK REES

CHWEFROR

NID rhyfedd, Chwefror bach, dy fod mor gas
  A ffyrnig dy dymherau'n nhwll y clo,
A'th frodyr mawr i gyd yn byw yn fras
  I luosogrwydd dyddiau yn eu tro.
Gwrandawaf dy ddialedd yn y drain,
  A gweld dy felltith yn y pistyll dŵr ;
A chwarddaf pan fo'th wynt yn hyrddio'r brain
  Yn bendramwnwgl rywle i allt Tredŵr.
Pwy roddodd hawl erioed i'r un-ar-ddeg
  I'th dresio di fel hyn a dwyn dy ran ?
Ac yna'n dod ac esgus bod yn deg,
  Â dydd i ti yn awr ac yn y man !
'R wyf innau'n un o ddeuddeg, heb ddim bri ;
Mae un, beth bynnag, yn dy ddeall di.

S. B. JONES

Y NEWID

FFARWÉL i naws yr eira,
  Ffarwél i'r rhewynt oer ;
Ffarwél i'r nos a'i düwch,
  Ffarwél i tithau loer.

Daeth Robin Goch ac oenig
  Ac eirlys hardd ei wedd,
I sibrwd wrthyf gynnau
  Fod gaeaf yn ei fedd.

Ni chlywais dwrw'r newid
  O gylch fy mwthyn llwm,—
Ond hwyrach imi gysgu
  Y noson honno'n drwm.

Ben bore wedi codi,
Fe ddawnsiai heulwen braf;
Daeth si ar frig yr awel
Fod Sion y rhew yn glaf.

Trôdd hen lwyn drain noethlymun
Yn 'ffeirad gwyn y coed,
A'r ceiliog du a'r fronfraith
Daeth ato i gadw oed.

Cyn hir daw'r gwenyn allan,
A miwsig yn eu grŵn,
I gasglu'r dreth wrth alw
Yn stryd y bysedd cŵn.

Ffarwél i naws yr eira,
Ffarwél i'r gwynt a'r glaw;
Ffarwél i'r nos a'i duwch,
Mae tymor haf gerllaw.

JAC H. DAVIES

CEILIOG RHYDYPARC

DAETH nos i gaead y drws yn dynn
A thynnu'r llen dros ffenestri'r dydd;
A'r gwartheg o'r cae a'r ebolion o'r rhos,
Yr hwyaid o'r llyn a'r ieir o'r clos
Yn troi i gysgu'n flinedig rydd
Do, caewyd y drws,
Caewyd y drws.

A chysgais innau drwy'r oriau du,
A'r llenni ar lawr, a'r drws yng nghau,
Nes deffro i glywed rhyw weiddi croch—
Hawdd nabod ei lais, yr hen geiliog coch ;
Mor daer fel na allai neb ei nacáu :
"Agorwch y drws !
Agorwch y drw-w-w-s !"

WIL IFAN

YR EIRA

Cwrlid gwynnach na'r carlwm,—y gaeaf
Yn gweu rhyfedd batrwm ;
Ac wele dan ei gwlwm
Unlliw'r coed a llawr y cwm.

ALUN JONES

Y GRAGEN

Annedd hardd a drefnodd Iôr,—i'w rai bach
Ym mro bell y dyfnfor ;
Yn ei thrwsiad a'i thrysor
Gwelir mwyn firaglau'r môr.

DEWI MORGAN

Y GRAIG

Ym merw llid y môr llydan—hi a chwâl
Donnau chwyrn heb wegian ;
Ond uwch twrf y cynnwrf can
Dyry aelwyd i'r wylan.

DEWI EMRYS

ADERYN MEWN CAWELL

PAID â gofyn iddo ganu
  Pan fo drws ei gell ynghlo ;
Heb un gangen iddo'n llwyfan,
  Heb un ddeilen iddo'n do.

Paid â disgwyl clywed miwsig
  Yn dylifo dros ei big
Pan fo'r bychan rhwng y barrau,
  Wedi colli côr y wig.

Pwy all ganu oddicartref?
  Dos, ac agor iddo'r ddôr,
A chei weld yn tiwnio'r tannau,
  Aelod arall yn y côr.

JOHN WILLIAMS

WEDI'R GLAW

DI-HEDD oedd y praidd ers dyddiau
  Yn crwydro'n y moelydd crin
Am flewyn ir, a digalon
  A bloesg eu brefiadau blin.

Nid oedd ffos na pherth na therfyn
  Yn rhwystro'u newynog hynt,
A bratiau eu gwisgodd yn hofran
  Ar bigau'r gwifrau'n y gwynt.

Ond wedi dy ddyfod neithiwr
  A bendith dy wlith hyd lawr,
Mae hedd a llonyddwch heddiw
  Hyd foelydd yr Hafod Fawr.

ALUN JONES

YR EOS

Carola er bod creulon
Bigyn du yn brathu'i bron ;
I'r awel teifl yr eos
Ochenaid leddf ei chân dlos ;
Daw aur gawod o'r gwiail
O rhydd hon ei cherdd ddi-ail ;
Ei dyri deg wedi'r dydd
Gyffry osteg fforestydd,
A saif y nos i fwynhau
Huawdledd pêr ei hodlau ;
Moli'n seml yn nheml y nos
Wna hwyr-awen yr eos,
Gwrendy brigau prennau praff
Ar lais hwyrol eu seraff
O lwyn tawel yn tywallt
Ei rhaeadr aur hyd yr allt !
Daw y nef i goed y nos
Drwy darawiad yr eos.

J. J. WILLIAMS

PRY'R GANNWYLL

O gylch fflam gwalch ffôl yw o,—yn cellwair
Fel tae colled arno,
Ond buan ar drwstan dro
Yn y ffrwst caiff ei rostio.

ISFOEL

NIWL

Hyd drothwy cwrlid rhithiol,—amdo mud
Am y waun a'r heol ;
O droi allan i'w ganol
Ni ŵyr neb ei lwybr yn ôl.

ALUN JONES

Y CURYLL

A MI hyd gwr y coed
  Un dydd yn rhodio,
A'r canu gorau 'rioed
  O'r cangau'n llifo,

Fe ddaeth i'r wybren las
  Ei gysgod sydyn,—
Yr hebog creulon, cas,
  A lladd pob nodyn.

Ond pan drois 'nôl i'r coed
  'R oedd heulwen eto ;
A llonnach nag erioed
  Y canu yno.

DAFYDD HENRY EDWARDS

MIERI

RHODDANT sêl ar dawelwch—hen fwthyn
  A difetha'i degwch ;
Tresio'i lawnt, drysu ei lwch,
A'i roi 'nôl i'r anialwch.

T. LLEW JONES

Y BARRUG

YN oer drwch ar dir uchel—daw â'i gen
  Wedi Gŵyl Fihangel ;
A daw i'r coed fel lleidr cêl
Gan eu diosg yn dawel.

EVAN JENKINS

MAI

MAE aur ar lwyni'r eithin,
Ac arian ar y drain ;
A'r coed fel gorseddogion
O dan eu mentyll cain.
A lle bu'r gaeaf unwaith
A thwrf drycinoedd blin,
Mae popeth yn adfywio
Ond mynwent a phren crin.

Daeth blodau'n ôl i'r gwrychoedd,
A grug i'r bannau llwm ;
A deunod clir y gwcw
Sy'n seinio yn y cwm.
Mae'r adar bach bob bore
Â'u lleisiau pêr, di-drai
Yn moli yr Arlunydd
A greodd harddwch Mai.

J. R. JONES

YR YSGUB

MAE hud yr hau a'r medi—a mawredd
Y tymhorau ynddi ;
Dêg ysgub, daw'r ŷd gwisgi
A bara can o'i brig hi.

T. LLEW JONES

DEILEN GRIN

MEWN cwter ar ddisberod,—tegan trist
Gwynt y rhew a'r gawod ;
Ddoe yn hardd, heddiw'n ddi-nod,
Ddoe yn dirf, heddiw'n darfod.

T. LLEW JONES

II. BRO A CHARTREF

CAER LANIO

(Lle bu Caer Rhufeinig unwaith)

LLE bu baner yr Eryr,
Trwst arfau ym mylchau'r mur.
Ni cheir sail, ac ni cheir sŵn
O'i gwersyll, lle bu garsiwn ;
Dialaeth dwfn dawelwch
A wylia'i llyfn wely llwch.

Er mor hyf milwyr Rhufain,
Mewn ymdrech, bu drech y drain,
Dros ei chaer tyf drysu a chwyn,
A'r ysgall a'i goresgyn ;
Ac i'r rhos wleb a'r gors lwyd
Ysgyrion a wasgarwyd.

Ym min y dŵr o'r mawn du
Cawn hirfaith ôl cynhyrfu :
Wrn brau, a tharian o bres
A luchiwyd i oer loches ;
Ac o'r ffos ar gwr y ffin
Cawn lafnau gleifiau gloywfin.

Er mor hyf milwyr Rhufain
Mewn ymdrech, bu drech y drain !

ELUNED ELLIS JONES

BRO MEBYD

CAF yma ryfeddodau
Sy'n dal i'm swyno o hyd,
Caf glywed gwledig nodau
Ar bell ymylon byd ;
Dringaf o encilfeydd y glog
I ganu cerdd pan gano cog.

Caf wrando hen afonydd
Ar eu hynafol daith,
A mynd i hedd y rhosydd
A'r gweunydd llonydd llaith ;
Ac weithiau weled mentyll trwm
Y niwl yn cau am lun y cwm.

Caf droi 'mhlith gwŷr a gwragedd
Di-stŵr a syml eu stad,
Na ŵyr am rwysg a gwagedd,
A'u gwreiddiau ym mhridd y wlad ;
Mae gwerthoedd byd o hyd yn stôr
Rhwng Pen Coed Foel a Moel y Môr.

Mae'r iaith a garaf orau
O bobtu i'r bryniau hyn,
A thân yr hen allorau
A'r lampau pŵl ynghyn ;
Molaf dy wynt, dy wyll, dy wawr,
Nes dyfod y mudandod mawr.

IFAN JONES

CWM ELERI

Mae hen delynau yn y gwynt,
Am ddyddiau gynt yn canu,
A llif Eleri yn y glyn
A'r niwl yn dynn amdani ;
Mi gerddaf eto'r llwybr cul
Lle plyg y mil mieri
Sy'n wylo ar yr adfail fawr
I lawr yng Nghwm Eleri.

Mae'r bompren eto fel y bu
A'r llyn yn ddu o dani,
A'r clychau arian yn y rhyd
Yn dal o hyd i ganu ;
Ceir eto weld cwpanau'r mes
Yn rhes o dan y deri,
A gwylio nyth y creyr mawr
I lawr yng Nghwm Eleri.

Os prin yw'r blodau dan y coed,
Ni fu erioed eu tlysed,
Ond pan ddaw estron ar ei dro
Â heibio heb eu gweled ;
Blodeuant lle ni chwardd y tes,
Ac nid oes wres a'u tery ;
Mae'n hanner dydd pan dyrr y wawr
I lawr yng Nghwm Eleri.

Mae ellyll eto yn y cwm
A'r ceubren llwm yn aros,
A chri'r dylluan gyfnos ha'
Ddychryna y ddechreunos ;

A gŵyr y plant am gylchoedd fyrdd
Yn wyrdd o dan y deri,
Mae'r Tylwyth Teg yn dawnsio'n awr
I lawr yng Nghwm Eleri.

Ond O ! Mae lleisiau'r cwm i gyd
Yn fud o hyd i arall ;
Sibrydion hirnos yn y pant
'Does ond y plant a'u deall ;
Er crwydro 'mhell ar lawer traeth
Daw hiraeth am y deri
Sy'n ysgwyd yn y storom fawr
I lawr yng Nghwm Eleri.

J. J. WILLIAMS

CLYCHAU CANTRE'R GWAELOD

O DAN y môr a'i donnau
Mae llawer dinas dlos,
Fu'n gwrando ar y clychau
Yn canu gyda'r nos ;
Trwy ofer esgeulustod
Y gwyliwr ar y tŵr
Aeth clychau Cantre'r Gwaelod
O'r golwg dan y dŵr.

Pan fyddo'r môr yn berwi
A'r corwynt ar y don,
A'r wylan wen yn methu
Cael disgyn ar ei bron ;
Pan dyr y don ar dywod,
A tharan yn ei stŵr,
Mae clychau Cantre'r Gwaelod
Yn ddistaw dan y dŵr.

Ond pan fo'r môr heb awel
A'r don heb ewyn gwyn,
A'r dydd yn marw'n dawel
Ar ysgwydd bell y bryn,
Mae nodau pêr yn dyfod,
A gwn yn eithaf siwr
Fod clychau Cantre'r Gwaelod
I'w clywed dan y dŵr.

O cenwch glych fy mebyd,
Ar waelod llaith y lli !
Daw oriau bore bywyd
Yn sŵn y gân i mi :
Hyd fedd mi gofia'r tywod
Ar lawer nos ddi-stŵr,
A chlychau Cantre'r Gwaelod
Yn canu dan y dŵr.

J. J. WILLIAMS

HEN STORI

Gadewais uchelderau
   Fy mebyd ym Mhentwyn,
Gadewais gwmni Carlo,
   A'r defaid mân a'r ŵyn.

Ond nid yw'r hen fynyddoedd,
   A'r defaid mân, a'r ci,
'Waeth pa mor bell y teithiaf,
   Byth yn fy ngadael i.

B. T. HOPKINS

CWM YR EITHIN

I LAWR yng nghwm yr eithin
Yn y bore bach,
Nid oes neb yn cyffro
Tan y gaenen wlith ;
Dim ond nant fach, effro
Wrthi'n canu'i llith,
Sydd yng Nghwm yr Eithin
Yn y bore bach.

I lawr yng Nghwm yr Eithin
Pan fo'r haul uwch ben,
Llifa'r tonnau rhedyn
Dros y llwyni mân ;
Cwyn foddhaus y gwenyn
Uwch y blodau glân
A ddaw o Gwm yr Eithin
Pan fo'r haul uwchben.

I lawr yng Nghwm yr Eithin
Pan ddaw diwedd dydd,
Daw'r gynffonwen lawen
At ei ffrindiau'n rhydd ;
Clywir cri'r dylluan
Yn yr adfail prudd
I lawr yng Nghwm yr Eithin
Pan ddaw diwedd dydd.

GERALLT JONES

TAIR AFON

Fe gysgai tair morwynig
  Ar ben Pumlumon fawr,
Sef Hafren, Gwy a Rheidol
  Yn disgwyl toriad gwawr.

Meddylient godi'n fore
  A theithio'n rhydd a llon,
A chyrraedd cyn yr hwyrnos
  Eu cartre 'ngôl y don.

Dihunodd Gwy a Hafren
  O'u cwsg yn fore iawn,
A daethant 'rôl hir deithio
  I'r môr yn hwyr brynhawn.

Ond cysgodd Rheidol ieuanc
  Heb bryder yn ei bron,
Ac wedi hwyr ddihuno
  Rhuthrodd yn syth i'r don.

A dyna pam mae Hafren
  A Gwy'n ymdroelli'n faith,
A Rheidol fach yn rhedeg
  Yn syth i ben ei thaith.

T. HUGHES JONES

AR BEN Y LÔN

Ar ben y lôn mae'r Garreg Wen
Yr un mor wen o hyd,
A phedair ffordd yn mynd o'r fan
I bedwar ban y byd.

Y rhostir hen a fwria hud
Ei liwiau drud o draw,
A mwg y mawn i'r wybr a gwyd
O fwthyn llwyd gerllaw.

Ar ben y lôn ar hwyr o haf
Mi gofiaf gwmni gynt,
Pob llanc yn llawn o ddifyr ddawn
Ac ysgawn fel y gwynt.

Ar nawn o Fedi ambell dro
Amaethwyr bro a bryn
Oedd yno'n barnu'r gwartheg blith
A'r haidd a'r gwenith gwyn.

Ac yma, wedi aur fwynhad
Tro lledrad ger y llyn,
Bu llawer dau am ennyd fach
Yn canu'n iach cyn hyn.

O gylch hen garreg wen y lôn
Bu llawer sôn a si ;
Ond pob cyfrinach sydd dan sêl
Ddiogel ganddi hi.

Y llanciau a'r llancesau glân
Oedd gynt yn gân i gyd,
A aeth hyd bedair ffordd o'r fan
I bedwar ban y byd.

Pa le mae'r gwŷr fu'n dadlau 'nghyd
Rinweddau'r ŷd a'r ŵyn?
Mae ffordd yn arwain dros y rhiw
I erw Duw ar dwyn.

Fe brofais fyd, ei wên a'i wg,
O olwg mwg y mawn,
Gwelais y ddrycin yn rhyddhau
Ei llengau pygddu llawn.

Ar ben y lôn mae'r Garren Wen
Yr un mor wen o hyd,
A dof yn ôl i'r dawel fan
O bedwar ban y byd.

SARNICOL

EIN TIR

DARN o wylltion afonydd
Doldir a gweundir a gwŷdd,
A goludog aelwydydd.

Daear y dwylo diwyd,
Erwau'n hiaith a'n gwair a'n hŷd,
Hon a biau ein bywyd.

Ddaear hardd! A roddir hon—
Caeau gofal ein calon
Yn wastraff o dan estron?

Ymaith â'ch gwarth o'n parthau
Wŷr brwnt a segurwyr brau,
Di-lên a di-ydlannau.

Heb dir, heb fywyd iraidd,
Heb gysur ond byw gwasaidd—
Ba rin i bren heb ei wraidd ?

B. T. HOPKINS

CYMRU

'R WY'n caru erwau Cymru fad,
Hen wlad y bardd a'r emyn,
Er gweled llawer tro ar fyd
Parhau o hyd wna'i thelyn.
Ei seiniau pêr sydd ar ein clyw,
A byw yw iaith Llywelyn.

Myn rhywrai grwydro tiroedd pell
I geisio gwell mwynderau,
Heb weled y gogoniant sydd
Ym mroydd gwlad eu tadau.
Ond rhowch i mi hen Wlad y Gân
Ei nentydd glân a'i bryniau.

Siaradwn y Gymraeg yn llawn
Ac os cawn ein dirmygu,
Cofiwn yr hen arloeswyr mwyn
Fu'n dwyn eu baich heb grymu ;
Ac awn ymlaen er gwawd a her
I chwifio baner Cymru.

J. R. JONES

FFYNNON FFEIRAD

PAN fydd yr Hydre'n brathu'r berth,
A'r niwl ar y gorwelion,
Af heibio i'r llynnoedd yn y cwm
I erddi Sioni'r Eidion.

Rhyw gornel o baradwys Duw
Ymhell o dwrw daear,
Heb ddim yn torri ar hedd y pant
Ond miwsig nant ac adar.

Er mynd o Sioni, a mynd o'i gŵn
A'i hendy heddiw furddun,
Blodeua'r coed afalau'n gain
Ynghanol drain a rhedyn.

Gobeithio'r wyf na ddaw y criw
Sy'n crwydro ar draws y cread,
I holi am y gerddi gwyllt
Ar ffiniau Ffynnon Ffeirad.

Pan fydd yr Hydre'n hael ei gnau,
Ei 'falau a'i fwyar duon,
Dof adre'n llwythog ambell hwyr,
O erddi Sioni'r Eidion.

IFAN JONES

CWM ELERI

NA, ni cheisiaf ddim o firi
  A rhialtwch gwag y dref;
Rhowch i mi hen Gwm Eleri,
  Sawr ei rug a glesni'r nef.

Lle daw'r gwanwyn â'r briallu
  I sirioli perth a thwyn;
Lle daw'r adar i gystadlu
  Yn eisteddfod fach y llwyn.

Cartre'r wenci chwim a'r cadno,
  Hen rodfeydd yr ŵyn a'r myllt,
A daw'r hedydd i orffwyso
  Yma i hedd y migwyn gwyllt.

Lle caf gwmni'r lli gwylanod
  Wrth fy sodlau yn y rhych;
Pan fo'r storm yn lluchio'r tywod
  Ac yn deifio blaen y gwrych.

Na, ni fynnaf ddim o firi
  A rhialtwch gwag y dref,
Rhowch i mi hen Gwm Eleri,
  Sawr ei rug a glesni'r nef.

J. R. JONES

TRAETH Y PIGYN

Ddoi di gen i i Draeth y Pigyn
Lle mae'r môr yn bwrw'i ewyn ?
Ddoi di gen i ? Ddoi di gen i ?
Ddoi di ddim ?

Ddoi di i godi castell tywod
A rhoi cregyn am ei waelod ?
Ddoi di gen i ? Ddoi di—
Ddoi di ddim ?

Fe gawn yno wylio'r llongau
A chawn redeg ras â'r tonnau,
Ddoi di gen i ?
Ddoi di ddim ?

O mae'n braf ar Draeth y Pigyn
Lle mae'r môr yn bwrw'i ewyn,
Pan fo'r awel yn y creigiau,
Pan fo'r haul ar las y tonnau.
Tyrd gen i i Draeth y Pigyn,
Fe gawn wyliau hapus wedyn.
Ddoi di gen i ? Ddoi di gen i ?
Gwn y doi !

T. LLEW JONES

Y FILLTIR AUR

MEWN dyffryn yn Sir Fynwy
Gynt a fu'n firain fro
Mae rheilffordd heddiw'n myned
Trwy dawch a mwg a glo.
I'r perchen tir ffortunus
Tâl glo yn well na gwair,
A gelwir rhan o'r rheilffordd
Gan bawb yn Filltir Aur.

Mewn cwm ym mro fy mebyd,
Ymhell o dwrf y byd,
Mae heol blwy'n mynd heibio
I fwthyn gwyn a chlyd,
Lle cerddwn gynt i'r ysgol
I'r farchnad ac i'r ffair ;
A'r ffordd eithinog, droeog draw
A blodau banadl ar bob llaw
I mi yw'r Filltir Aur.

SARNICOL

HEN DŶ FFERM

MIERI yn y brïws,—a'r hen dŷ
Yr un dull â'r cartws,
Y stabl yn drist heb lun drws,
Orest oer yw ei storws.

DIC JONES

III. HIRAETH

LLANFIHANGEL GENAU'R GLYN

Un hwyrnos oer o wynt a glaw
A memrwn melyn yn fy llaw,
Disgynnodd trem fy llygaid syn
Ar Lanfihangel Genau'r Glyn.

Rhyw rin oedd yn y gair a'r gwynt
A'm dug yn ôl i'r dyddiau gynt—
Yn ôl i fore mebyd gwyn
Ger Llanfihangel Genau'r Glyn.

A throdd y memrwn hen ei raen
Yn femrwn arall, gwyn, o'm blaen ;
Ac ar bob dalen erbyn hyn
'Roedd Llanfihangel Genau'r Glyn.

Anghofiais dwrf y gwynt a'r glaw,
A'r memrwn hwnnw yn fy llaw,
Ond clywais sŵn y pistyll gwyn
Ger Llanfihangel Genau'r Glyn.

Mi welais engyl gwyn eu gwawr
Ym mhlygion y cymylau mawr ;
A drws y nef ar ben y bryn
Uwch Llanfihangel Genau'r Glyn.

Mi glywais furmur pell y môr,
A gwelais arch o flaen y ddôr,
A rhywun arni'n wylo'n syn
Yn Llanfihangel Genau'r Glyn.

Mi glywais ganu cloch y Llan,
A gwelais dorf yn cyrchu'r fan,
A'r hen offeiriad yn ei wyn
Yn Llanfihangel Genau'r Glyn.

Mi welais feirwon rif y gwlith,
A'm hen gyfoedion yn eu plith,
Yn cysgu'n dawel dan yr ynn
Yn Llanfihangel Genau'r Glyn.

Mi glywais lawen chwarae plant,
A chri tylluan yn y pant,
A sgrech yr ysbryd wrth y llyn
Ger Llanfihangel Genau'r Glyn.

Tyrd eto, wynt ; tyrd dithau, law,
Nid ofnaf mwy beth bynnag ddaw ;
Gall f'ysbryd ddianc pryd y myn
I Lanfihangel Genau'r Glyn.

J. J. WILLIAMS

RHOS HELYG

LLE bu gardd, lle bu harddwch,
Gwelaf lain â'i drain yn drwch ;
A garw a brwynog weryd
Heb ei âr a heb ei ŷd.

A thristwch ddaeth i'r rhostir—
Difrifwch i'w harddwch hir ;
Ei wisgo â brwyn a hesg brau,
Neu wyllt grinwellt y grynnau,
Darnio ei hardd, gadarn ynn
A difetha'i glyd fwthyn !

Rhos Helyg, heb wres aelwyd !
Heb faes ir, ond lleindir llwyd,
A gwelw waun unig, lonydd
Heb sawr y gwair, heb si'r gwŷdd.

Eto hardd wyt ti o hyd
A'th oer a'th ddiffrwyth weryd,
Mae'n dy laith a diffaith dir
Hyfrydwch nas difrodir—

Si dy nant ar ddistaw nos
A dwfn osteg dy hafnos ;
Aml liwiau'r gwamal ewyn,
Neu lwyd gors dan flodau gwyn,
A'r mwynder hwnnw a erys
Yn nhir llwm y mawn a'r llus.

O'th fro noeth a'th firain hwyr,
O'th druan, egwan fagwyr,
O'th lyn a'th redyn a'th rug,
Eilwaith mi gaf, Ros Helyg,
Ddiddanwch dy harddwch hen
Mewn niwl, mewn stòrm, neu heulwen.

Eto, mi glywaf ateb
Y grisial li o'r gors wleb
I gŵyn y galon a gâr
Hedd di-ddiwedd dy ddaear.

B. T. HOPKINS

CERDDI CYMRU FU

Os huna'r telynor dan gysgod yr Yw,
Mae miwsig yr alaw hyd heno yn fyw ;
Os drylliwyd y delyn, os torrwyd y tant
Mae'r cerddi yn aros ar wefus y plant ;
Tra'r castell yn Harlech yn edrych i'r môr
A'r eiddew yn clymu yn las am ei ddôr,
A thra byddo gwenith yn wyn ar y ddôl
Daw cerddi'r hen Gymry i'r galon yn ôl.

'R wy'n clywed eu hatsain yn lleddf ar y gwynt
Yn sôn am wroniaid yr hen amser gynt ;
'R wy'n gweled eu tlysni yn nhoriad y dydd
Wrth hela'r 'sgyfarnog a dilyn yr hydd ;
Fe'u canwyd wrth ddringo Pumlumon i'r gad,
Fe'u canwyd wrth ymladd dros ryddid a gwlad ;
Ond heddiw mewn heddwch ar wastad y ddôl
Daw cerddi'r hen Gymry i'r galon yn ôl.

Mae cerddi'r hen Gymro, fel teimlad ei fron,
I lawr ac i fyny, yn lleddf ac yn llon ;
Mae ambell hen alaw yn dlos ar y bryn,
Un arall yn cwynfan ar waelod y glyn ;
Fy ngwlad, boed ei nodau yn bêr ar dy fin,
Mae calon y tadau yn curo 'mhob un,
Tra cysgod y deri ar laswellt y ddôl
Daw cerddi'r hen Gymry i'r galon yn ôl.

J. J. WILLIAMS

LLYS IFOR HAEL

LLYS Ifor Hael! gwael yw'r gwedd,—yn
Mewn gwerni mae'n gorwedd [garnau
Drain ac ysgall mall a'i medd,
Mieri lle bu mawredd.

Yno nid oes awenydd,—na beirddion
Na byrddau llawenydd,
Nac aur yn ei fagwyrydd
Na mael, na gŵr hael a'i rhydd.

I Ddafydd gelfydd ei gân,—oer ofid
Rhoi Ifor mewn graean;
Y llwybrau gynt lle bu'r gân
Yw lleoedd y dylluan.

Er bri arglwyddi—byr glod,—eu mawredd
A'u muriau sy'n darfod;
Lle rhyfedd i falchedd fod
Yw teiau yn y tywod.

IEUAN BRYDYDD HIR

CARTREF

GWELD deryn gwyllt, gweld derwen gam,—
A gweld môr yn wenfflam: [gweld mawn
Gweled ŵyn ar dwyn dinam,
A gweled mwg aelwyd mam.

J. J. WILLIAMS

HIRAETH AM FFALDYBRENIN

'SLAWER dydd pan grwydrai merlyn
Wedi cymryd rhaff,
Rhoed ef, hyd nes cael ei berchen
Yn y ffald yn saff.
Neu pan gaffai'r ffermwr ddafad
Ddieithr gyda'i stoc,
Gyrrid hithau i ffald y brenin,
Gyda'r merlyn broc.

Crwydryn, crwydryn ydwyf finnau
Fel y ddafad ffôl ;
Crwydrais holl aceri Cymru
Hyd dref a dôl.
Boddlon fyddwn pe doi rhywun
O'r hen ardal dlos
I'm rhoi innau'n Ffaldybrenin
Cyn delo'r nos.

WIL IFAN

GADAEL CARTREF

GYDA glan yr Wnion fechan,
Dros y llwybrau dan y coed,
Cerdda'r teithiwr bach, penisel
Drwy y cwm yn drwm ei droed ;
Araf heddiw yw ei ymdaith ;
Oedi wna dan lawer llwyn,
A gorffwysa'n fynych, fynych,
Ar ei daith o dwyn i dwyn.

Nid y llyfrau ar ei ysgwydd,
  Nid y trymaidd, niwlog hin,
Nid y llwybr igamogam
  Sydd yn gwneud y ffordd mor flin ;
Beth mor drwm â hiraeth plentyn
  Wrth ffarwelio â'i gartref iach ?
Dyna'r baich, a'r nef a'i helpo,
  Sydd yn llethu'r teithiwr bach.

Deced fu ei freuddwyd ieuanc
  Am gael gadael pentre'r Ddôl ;
Ond ow ! 'r hiraeth gwyllt pan dorrodd
  Dydd dehongli'r breuddwyd ffôl ;
Cofia'r cyngor ar y trothwy—
  "Bydd yn wrol ar dy hynt,"
Ac yn sŵn y geiriau annwyl
  Rhed ei ddagrau'n gynt a chynt.

Wnion fach, paid dithau â'i wawdio
  Gyda'th garol nwyfus, fyw ;
Nid oes iti achos ymffrost
  Yn dy gân, er mwyned yw ;
Canai yntau'r llanc penisel
  Gyda chalon ysgon, iach,
Pe câi yntau droi ei wyneb
  Tua thref Dolgellau fach. WIL IFAN

Y MORWR COLLEDIG

IACH hwyliodd i ddychwelyd,—ond ofer
    Fu dyfais celfyddyd ;
  Y môr wnaeth ei gymeryd,
  Ei enw gawn, dyna'i gyd.

JOHN JENKINS (CERNGOCH)

HEN FWTHYN DEIO'R CRYDD

DI-LUN ei wedd yw Dôl Nant,
Yn garnedd ger y gornant ;
Chwalwyd ei degwch olaf
Yn llwyr iawn ers llawer haf.

Mwy nid oes yma groeso—
Uchel lais, clicied na chlo ;
Na derwddor yn agoryd
O'i glos i'r hen gegin glyd ;
Na chlawdd trwsiedig na chlwyd
Na hwyr olau ar aelwyd.

Gwynt drwy'r ardd sy'n clindarddach,
Mae'r drysi'n ei berci bach,
Danadl lle bu banadlen
A llwyn bocs dillyn ei ben.

A lle bu gweithdy a gêr,
Rhin y grefft a'r hen graffter,
Man anniben yw heno,
A'r hen grydd yng ngrwn y gro.

Ond i gof daw ei gyfoeth,
Ei gywir dinc a'r gair doeth—
Eco ergydion onest
Ei forthwyl ef wrth y lest.
Ei bwyll mawr â'r ebill main
Y cŵyr a'r pwytho cywrain,
Ei law daer a'r afael dynn
Yn troi edau'r pwyntrhedyn.

Nid oes fflam na sŵn tramwy,
Na mainc wrth y ffenestr mwy.
Ni ddaw neb yn hedd y nos
I'w unigedd yn agos.

ALUN JONES

HEN FWTHYN

RHINIOG dan glwm y dreinach,—a'i denant
Ydyw'r danadl bellach ;
Nenbrennau yn y brwynach
A thŷ byw yn dwmpath bach.

T. LLEW JONES

HEN EFAIL

Y GÊR dan rwd seguryd—a'r taw hir
Lle bu'r taro diwyd ;
A wêl fwth a gefail fud,
A wêl fedd hen gelfyddyd.

TÎM SIR ABERTEIFI
O 'YMRYSON Y BEIRDD'

HIRAETH

DIM môr, a dim myharen,—dim afon,
Dim mefus, na mawnen ;
Aberthwn aur byrth y nen
Am weld eira Moel Darren.

J. J. WILLIAMS

IV. BYWYD A GWAITH

RHAN O "MEINI GWAGEDD"

(Deiliaid Glangors Fach yn trefnu eu byd)

IFAN O'r borfa ar y cloddiau a'r twmpathau ar y gors
Fé gliriwn y rhent ag ŵyn-tac ac ebolion
—pob llwdn fel ebol, a phob poni fel march
erbyn y Gwanwyn . . .

RHYS Brwyn y tir llaith sy'n melynu'r hufen ;
fe allwn gywiro 'menyn a magu lloi . . .

ELEN Eirin pêr ac afalau
Ar gloddiau'r ydlan a'r clos, llus-duon-bach,
mwyar, llugaeron, afan a syfi, ddigonedd . . .

SAL Pysgod Nant-las i swper, brithyllod a samwn,
llyswennod wrth y llath o rabanau'r gors . . .

IFAN Mawn a choed-tân o'r tir ar eu torri . . .

RHYS Y ffin yn ddiddos â pherth a phum weiren—
un weiren bigog a'r perthi o ddrain gwynion—
cloddiau taliaidd a'r llidiardau ar byst deri yn hongian . . .

IFAN Pob cae yn ddidrafael o'r clos,
fe gwyd un gaseg y dom o'r domen
a daw'r llwythi ar y gwastad i'r ydlan . . .

ELEN Yr haul ar ffenestri'r ffrynt drwy'r prynhawn,
ar prisgau wrth gefn-tŷ yn torri gwynt y rhew.

SAL Fe wnawn bres i brynu'r lle-bach neu i
gymryd fferm fawr
I'r plant, fel bo preseb a rhastl yn llawn
iddyn' nhw . . .

IFAN Fe fydd ceiniog fach weddol tu cefn yn y banc
pan ddaw'n cwys ni i dalar . . .

KITCHENER DAVIES

RHWNG DAU OLAU

DUWCH nos oedd yn crynhoi
Am y pentref gwledig tawel,
A'r minteioedd brain yn ffoi
Am Goed Foel rhag min yr awel.

Draw'n y pellter yr oedd sŵn—
Sŵn carlamu a phedolau,
Ac yn sydyn fe ddaeth cŵn
Hela heibio, rhwng dau olau.

Yn dafodlaes y dôi'r rhain
Adref o'r hen fencydd gorest,
Yntau'r llwynog ffals a main
Yn cilwenu yn y fforest.

IFAN JONES

CÂN Y CORGWN

(Canmoliaeth i Dafydd Efan, Pen-y-parc,
Llandysilio-gogo)

PAN fo Dafydd Ifan landeg,
Ac un corgi-bach-ar-bymtheg,
Yn mynd allan yn ei awen
Ni ddihanga'r un gwningen ;
Os i'r coed ac os i'r creigydd,
Os i'r môr ac os i'r mynydd,
Y rhed pryf pan fo yn hela,
Mae yn ddigon siwr o'i ddala.

Pan ddechreua Dafydd weiddi
Yn yr allt uwchben Cwmtydu,
Fe ddaw haid o gŵn o'i gwmpas,—
Sparc a Ledi, Tomsi a Bragas,
Keeper, Menter, Julier, Troedwyn,
Hafren, Sioncen, Pertws, Gwawrwyn,
Spoti, Lili, Ffani, Ffeinws,
Dyna'r un-ar-bymtheg cymw's.

Yno'n gwylltio ar hyd y gelltydd,
Chwilio ceudod rhwng y coedydd,
Chwilio a gwylio ar hyd y gwaelod,
Di-gip, di-gap, fel cŵn toilïod ;
Ni chaiff sgwarnog na chwningen,
Ni chaiff draenog na llygoden,
Y wenci fain, na'r ffwlbert hagar,
Gyfle i ddianc dan y ddaear.

NATHANIEL JENKIN

LLADRON

MAE lladron o gwmpas y lle
  Mewn gwlad a thre.

Fe gesglais ddoe yn y coed
  Y "concers" gloyw a'r mes bras,
A'u cuddio'n ofalus ym môn y berth
  Mewn nyth o wellt a phorfa las.

Ond heddiw nid oedd un ar ôl ;
  Dim un ! Ac edrychais yn syn
Am leidr, ond nid oedd sôn
  Am neb yn y lôn nac i fyny'r bryn.

Ond clywais 'sgathru tan y tyrrau dail
  O gwmpas fy nhroed,
A gweled llygoden ofnus,—ac ail
  Yn ffoi tua'r coed. "Ai chwi ?"

Ar hyn dyma naid a sbonc
  A chynffon flewog yn fflam !
Dau lygad direidus sionc
  Ar frigyn y dderwen gam. "Ai ti ?"

Dyma lais yn fy ngalw, draw,
  Yn cymell hel "concers" a mes,—
Llais Dewi fy ffrind !
Lladron a ffrindiau ! "Ffrindiau yn
  lladron ?"
Gwell i mi fynd !

GERALLT JONES

CLOCH YR YSGOL

BETH yw'r sŵn sydd ar yr awel?
Ding, dong; ding, dong;
Dringo mae o'r dyffryn tawel,
Ding, dong:
Cloch yr ysgol fach sy'n canu,
Geilw'r plant ynghyd i ddysgu,
Rhaid yw mynd yn ufudd iddi;
Ding, dong; ding, dong.

Er y chwarae mawr a'r pleser,
Ding, dong; ding, dong;
Rhaid yw rhedeg ar ei hanner,
Ding, dong:
Gadael blodau yn y gerddi,
Gadael nythod yn y perthi,
Gadael popeth a charlamu,
Ding, dong; ding, dong.

Pan oedd nhad yn blentyn bychan,
Ding, dong; ding, dong;
Nid oedd sŵn y gloch yn unman,
Ding, dong:
Gweithio'n galed oedd bryd hwnnw,
Yn yr haf a'r gaeaf garw;
Diolch am y gloch sy'n galw,
Ding, dong; ding, dong.

J. J. WILLIAMS

COTIAU COCH GOGERDDAN

YN gynnar, yn gynnar, rhwng cangau y coed
Y cerddai yr awel yn ysgafn ei throed ;
A brysiai y wawr tros lechwedd y bryn
I ysgwyd y barrug o flodau'r glyn.
Ond ust ! dan y deri mae dolef hir
Yn deffro'r atsain yng nghreigiau'r tir ;
Mae corn yr heliwr yn galw'n glir
Ar gotiau coch Gogerddan.

Ar garlam, ar garlam, o fynydd a rhos,
Daw mab y pendefig a'i eneth dlos,
Dros y llidiardau ar doriad y wawr
Ar alwad y corn dan y derw mawr.
Pob un ar ei farch—y gorau a gaed,
A'r mellt yn cynnau o dan eu traed ;
Hen Gymry o dafod, a Chymry o waed,
Oedd cotiau coch Gogerddan.

Gweryru, gweryru, wna'r meirch ynghyd,
A chyfarth, a chyfarth, wna'r cŵn i gyd,
Ar amnaid y corn dan y derw mawr
Mae cant o bedolau yn palu'r llawr.
A dacw hwy'n cychwyn i'w difyr hynt,
Gan neidio'r afonydd heb weld y pynt ;
A chroesi mynyddoedd mor gyflym a'r gwynt
Wnâi cotiau coch Gogerddan.

Carlamu, carlamu, dros hanner y byd,
A phlant y pentrefi yn edrych yn fud ;
Mae'r hogyn penfelyn yn crynu gan fraw
Wrth sŵn y pedolau o'r pellter draw.

Tali ho ! dacw'r llwynog i'w weld yn glir,
A'i gynffon fel comed yn croesi'r tir ;
Ond dilyn a dilyn y gynffon hir
Wnâi cotiau coch Gogerddan.

Dychwelant, dychwelant, o fynydd a rhos,
Tuag adre', tuag adre', bob un gyda'r nos ;
A swn y pedolau wrth daro'n y pant
Yn torri ar heddwch breuddwydion y plant.
Ymgomio, ymgomio, heb gynnen na chas,
Ond calon wrth galon, bendefig a gwas ;
Ac ail hela'r llwynog yn neuadd y plas
Wnâi cotiau coch Gogerddan.

J. J. WILLIAMS

YR HEN GORN MEDI

GALW medel â'r corn medi
Oedd hen arfer gynt yng Nghymru,
Ac ar noson loergan olau
Pwy na charai ei hoff seiniau ?

Pan fai argoel "tywydd fory"
Yna clywyd y corn medi,
Pawb yn galw yn blith draphlith
I gael torri'r "pisin gwenith !"

"Beth a wnawn," medd Jac wrth Mali—
"Pawb yn galw gyda'i gily' ?"
Ebe Mali'n ddigon parod,
"Dos i'r Fron, af fi i'r Hafod."

Siaci'r "Tinman" oedd ŵr enwog
Am ddarparu corn ardderchog ;
Ac am hanner coron parod
Seinber gorn a gaech, heb sorod.

Sain y corn sydd wedi tewi
Ac arabedd yr "hoe hogi" :
Ar y fron ac ar y doldir
Dim ond sŵn peiriannau glywir.

DAVID EVANS

Y PYSGOTWR

CROESWN gynt yn llanc deuddengmlwydd
Beiswyn gwyn y rhos di-stŵr,
A chyfeirio i'r lle mae'r afon
Teifi'n brin ei physg a'i dŵr.

Nid oedd ar fy ysgwydd fasged,
Nac i'm llaw wialen chwaith ;
Rhaid oedd cyrchu lle cawn loches
Nad oedd hwy na hyd fy mraich.

Bûm yn chwilio wedi hynny
Gyda holl arfogaeth gŵr
Byllau mawr y doldir isod
Lle mae amledd pysg a dŵr.

Pysgod mwy eu pwys a'u nifer
A ddeliais yn bysgotwr doeth :
Ond 'roedd brin y blys at bleser
Llanc deuddengmlwydd freichiau noeth.

EVAN JENKINS

GWYNFYD

GWEDD orau'r ystabl dan fy nwylo
Yn llefnyn pedair-ar-ddeg,
O dalar Parc Mawr yn anturio
Un bore o wanwyn teg.

Fy ngwynfyd oedd gwrando'r gweryd
Yn rhwygo a throi wrth fy nhraed,
Ei arogl ffres yn fy ffroenau;
A'r ias yn rhuthr fy ngwaed.

Cael mwyniant yng nghwmni'r gwylanod,
Ar gwysi cribog eu graen,
A'r cerrig dala'n rhoi hyder
Ac awydd i ddal ymlaen.

A phrofi ar ben y talcwaith
Orfoledd ennill fy nhoc,
Wrth dynnu fy llaw dros warrau
'Rhen Bowler a'r Gaseg Froc.

ALUN JONES

GOLEUNI'R HARBWR

AR y gorwel fe'i gwelaf,—a'r ingoedd
Rhyngom a anghofiaf ;
Am ei lewyrch mi lywiaf,
O fewn ei gylch hafan gaf.

JOHN ALUN JONES

* * *

O'r anial y ceir ynni,
Trafferth a rydd nerth i ni.

SARNICOL

TORRI'R MOCHYN

DYMA'r hen fochyn dan y llofft
Yn lân ar ôl ei agor.
Mae'n glamp o gorpws, ond medd Siân,
"Fe ddylai bwyso rhagor."

A phawb mewn awydd am y wledd,
A hithau'n Sul yfory,
Brynhawn dydd Sadwrn dyma Siôn
Yn paratoi i'w dorri.

Cyllell a morthwyl, bwyell, llif,—
Rhaid wrth bob un o'r rheini.
A dyma Siôn yn tynnu ei got,
A Siân ar Siôn yn gweini.

Yn ddarnau mawr, yn ddarnau mân,
Mae'r mochyn wedi ei dorri.
Ond wrth roi darn i hwn a'r llall
Bydd rhywrai'n siwr o sorri.

Wel, nid yw'n bosib plesio pawb,
Mae hynny yn hen ddihareb.
Caiff 'Nwncwl afu ac asgwrn cefn,
A modryb ddarn o sbareb !

EVAN JENKINS

Y PYSGOTWR

CILIA draw wedi'r gawod—i wynfyd
Cymanfa'r mwyalchod ;
Wrth afon fyw, byw a bod,
"A thwyllo hen frithyllod."

DEWI EMRYS

TACHWEDD

SDIM eisie iti gau drws y storws, Twm,
Gad iddo fe ar agor heno,
A phaid meddwl am gario dy bacyn trwm,
Rho Flower neu Star yn y gambo.

Odi, mae saith mlinedd yn amser go hir,
Ond ma' nhw wedi mynd fel adrodd stori ;
'R oedd y plant ma'n go fân bryd hynny, wir,
Sdim rhyfedd bo nhw ffordd hyn yn dy boeni.

O gnewn, fe glymwn y da a chau'r lloi,
A mi ofalwn ar ôl y ceffile ;
Er ma'r ogor yn brin i'w clymu mor gloi,
Ond fe neith Wannwn cynnar, efalle.

Wyt ti'n cofio'r Glangaea pan ddest ti i'r clos
Saith mlynedd i heno, a'r trwbwl ?
Y da a'r ceffile i gyd mas y nos,
Ond doithon trwyddi'n syndod trw'r cwbwl.

Paid becso dim byd, fe'i halwn hi mlân,
Ma'r hen blant ma nawr wedi prifio.
Tase fe'n fyw . . . wrth gwrs . . . bydde gwell grân . . .
Wel, Priodas Dda i ti nawr . . . a dre heibo.

S. B. JONES

DIREIDI

PE cawn i eto fynd yn ôl
I'm dyddiau hoywon slawer dydd,
Mi awn i waelod gallt Cwmsgog
I godi ofn ar Siencyn Crydd.

Mi ddynwaredwn John Cnwc-gwyn
Yn cerdded yn ei gamau bras,
A neidio'n ddewr wrth Bont-y-rhyd
Ar gefen Dafi Ffynnon-las.

Mi daflwn gerrig ar dô sinc
Beudy Wiliam Troed-rhiw-fach,
Mi brociwn wenyn Cilie-hwnt
A chlymu Alun yn y sach.

Mi fwriwn flodau'r eithin aur
Ar ben y saint o'r seddau top,
A wincio ar Arthur a Dai Wil
Pan godai bygwth Capten Siop.

Mi redwn fel llucheden dân
Rhwng mur y capel mawr a'r wal,
A thaeru nad y fi own i
A John y Llety wedi 'nal !

S. B. JONES

YR AMAETHWR

CÂR ef y neb o'i febyd—fu'n gymar
I'r ddaear werdd ddiwyd ;
Y gŵr a arddo'r gweryd,
A heuo faes, gwyn ei fyd.

GERAINT BOWEN

BORE CALAN

UNLLIW'r ddôl â llwybrau'r mynydd,
Unlliw ffrwd a phren,
Llyfn a glân yw llawr yr henfro
Dan y gaenen wen.

Doe bu'r crwt yn dysgu'r pennill
Syml o waith ei dad,
Er cael mynd i hel calennig
Heddiw yn y wlad.

Pwy a ŵyr am siom ei galon
Pan fo'n methu'n lân
A chael mynd ar fore Calan
Oddi wrth y tân.

Ofer sôn nad ydyw'r eira'n
Aros yn y fro,
Gŵyr y crwt na fydd y pennill
'Fory'n gwneud y tro.

IFAN JONES

NEITHIWR

CLIR iawn oedd y ser o'r dwyrain
Neithiwr, a'r awel yn oer,
Y ddaear yn swrth a chysglyd
A gwelw gylch am y lloer.

Fy mhraidd wedi heidio'n gynnar
I gysgod perth ar y foel,
A'r gwylain â braw yn eu crio
Pe rhoddwn i arnynt goel.

Trois innau i mewn i'm lluest
I orffwys yn gwbwl rydd ;
Fy meddwl ar grwydro moelydd
A chyfri 'mhraidd gyda'r dydd.

Ond cefais o ddeffro heddiw,—
Y gwynt wedi codi'n uwch,
Y moelydd i gyd yn wynion
A 'mhraidd ar goll dan y lluwch.

ALUN JONES

CNEIFIO

Mae heddiw'n ddiwrnod cneifio
Fel arfer, yng Nghwmglo :
Mae gwlân yr ŵyn a'r defaid
Yn aeddfed iawn, ers tro.
Ar gefn y ferlen winau
Byddaf pan dorro'r wawr
Yng nghwmni Rhys, y bugail,
Ar ben y mynydd mawr.

Dros lawer crib ac esgair
Y daw'r ddiadell gron :
Gwyn fyd na welech Tango
Yn llithro o fron i fron,—
Weithiau erys yn sydyn,
Weithiau arafa'i frys
Pan draidd drwy'r awyr denau
Y sŵn rhwng bysedd Rhys.

Cneified a fynno fory
  Y defaid oll a'r wyn.
Bydd Wil y Rhandir yma,
  A Deio bach Tynllwyn :
Ond Neli'r oenig llywaeth,
  Sydd heddiw heb ei mam—
'Chaiff neb ond Rhys ei chneifio hi,
  Ac nid rhaid holi pam.

D. LLOYD JENKINS

V. AMRYW

CÂN

(I ddymuno llwyddiant i'r "Hebog"—llong newydd yr Yswain Lloyd o Gwmgloyn)

O'r derw cadeiriog, praff goed Cwm-yr-hebog,
Fe'th wnaed yn llong fywiog, alluog mewn lli ;
Yr "Hebog" mi'th alwaf, yn llong mi'th gyf'rwyddaf,
Boed iti ddianaf ddaioni.

Rhwydd hynt i ti'r "Hebog," o Drefdraeth flodeuog,
I'r cefnfor ewynog, cyforiog ei faint ;
Taen dithau d'adenydd, anghofia'r glas goedydd,
Dysg fyw rhwng lleferydd llifeiriant.

A bellach pan chwytho, a'r eigion yn rhwygo,
A'r tonnau gan ruo am friwio dy fron,
Dy drwyn a'u trywano, dy dor a'u braenaro,
Dy lyw a'u gwasgaro'n ysgyrion.

Ehed dan dy lwythi ar hyd cefn y weilgi,
Mor gyflym â'r milgi manylgais ar ddôl,
A dwg dy negesau hyd drothwy ein traethau
Dan hwyliau, o'r mannau dymunol.

IOAN SIENCYN O'R CWM DU

CYRCH AWYR

GWELAIS sgwadron dan arweinydd
Adain lydan yn y gwynt ;
Hediad cyflym penderfynol,
Llu yr awyr ar eu hynt.

Degau ar ôl degau'n hedeg
Yng ngoleuni brig yr hwyr ;
Teithio at eu cyrchfan rywle,—
Aberporth ? Neu ble ? Pwy ŵyr ?

Codwyd llygaid gwlad i edrych
Ar y rhesi llwyd uwchben ;
Brysiais innau i gysgodi
Tuag aelwyd bwth Yet Wen.

Treuliais noson bur anesmwyth
Er im' gau a bolltio'r ddôr ;
Fe ddaeth storm a glaw i ganlyn
Sgwadron o wylanod môr !

D. JACOB DAVIES

SIÔN A SIÂN

(Tŷ bach y Tywydd)

PAN ddaw bloedd drycinoedd cas,—yna'n siŵr
Daw'r hen Siôn o'i balas,
Ond pan geir heulwen eirias
Â Siôn i mewn—daw Siân ma's.

T. LLEW JONES

PENILLION GWREIDDIOL

Fe'th ddwg llong ymhell ar fordaith,
Fe'th ddwg march ar siwrne hirfaith ;
Ond o bob rhyw daith ar ddaear,
Pellaf taith ar ysgwydd pedwar.

* * *

Pam y rhoddi'r cregyn gwynion
Wrth dy glust fy ngeneth dirion ?
Dal fy nghalon yn dy ddwylo,
Dwysach yw cyfrinach honno.

* * *

Du yw'r fran a du yw'r muchudd,
Du yw'r awr sy' nesa i'r wawrddydd ;
Du yw'r nos yng Ngallt yr Ogo',
Duaf bwth heb gariad ynddo.

* * *

Lleddf yw cri'r dylluan heno,
Lleddf yw llais y ci sy'n udo ;
Ond y mwyaf lleddf yw f'enaid
Am na fedr ond ochenaid.

* * *

Pan ddaw eto Galangaea
Nid arhosaf i ffordd yma,
Af heb oedi o Fryn Eithin,
Fel aderyn o flaen drycin.

Mynd â'r anner fach i'r farchnad,
Pacio'r llyfrau, pacio'r dillad,
Pacio'r offer, pacio'r arian,
Gado 'nghalon yma'i hunan

Clywais ddwedyd fod y Saeson
Yn prynu daear Ceredigion,
Ac fod estron ddwylo'n trafod
Grynnau annwyl ei thyddynnod.

Os yw'r Sais am fynd â'r cyfan,
Rhaid fydd byw'n ddarbodus weithian,
Er mwyn i minnau sy'n ei charu
Brynu dwylath at fy nghladdu.

T. LLEW JONES

Y GŴN BACH

NID oes ail i Modryb Sali
Â'i gŵn bach yn dwt amdani ;
Hawdd ei 'nabod hi ymhobman
Yn ei gŵn o'i gwaith ei hunan.

Gŵn bach oedd ei gwisg briodas,
Ni fu gwisg erioed mor addas,
Ac fe daerai f'ewyrth Siaci
Nad oedd neb yn ail i Sali.

Ni ŵyr Modryb fawr am ffasiwn—
Dim ond am y bais a'r betgwn ;
Ond mae hi fel tywysoges
Mewn gŵn bach yn glyd a chynnes.

Fe â hi i'r ffair a'r farchnad
Mewn gŵn bach o wlan y ddafad ;
Gwell gan Modryb wlanen cartre
Na'r un gŵn o'r sidan gore.

DAVID LEWIS (AP CEREDIGION)

BRIWSIONYN

Yn gryno mewn un gronyn—elusen
 Rhag loes yw briwsionyn,
A rhodd Duw oddiar fwrdd dyn
I dorri gwanc aderyn.

J. G. THOMAS

YR HEN SIÔL FACH

'Rwy'n canu yn fynych i hyn ac i'r llall,
A chanu fel rheol ar destun go gall,
Ond synned y ddaear, a galwed fi'n ffôl,
Mi drawaf fy nhelyn am unwaith i'r Siôl.

'Rwy'n cofio ei gweled ar ysgwydd mamgu,
Wrth fynd ac wrth ddyfod dros drothwy'r
 hen dŷ,
A phan ddaw'r hen amser i'r meddwl yn ôl
Y cyntaf o bopeth a gofiaf—yw'r Siôl.

Pan fyddwn i gynt yn ofidiau i gyd
Ar fynwes fy nain y cawn gysur o hyd,
Mi roddwn yr hollfyd pe cawswn yn ôl
Y bydoedd a welais, â'm pen ar y Siôl.

Os nad yw'r penillion yn hynod o gall,
Os na wel y doeth ond brycheuyn a gwall,
Wel synned y ddaear a galwed fi'n ffôl,
Er hynny, am unwaith, mi ganaf—i'r Siôl !

J. J. WILLIAMS

HEN BENILLION

MAE bechgyn Cei Newydd yn ddedwydd mewn ffair,
Yn cyrlio'u gwallt melyn yn nhaflod y gwair,
Ond cyrlient eu gorau a byddent yn ffri,
Rhyw fab o blwy arall sydd orau gen i.

* * * *

Mynnaf siaen o nawpleth arian
I'w rhoi'n bont dros Teifi lydan,
Gwallt fy mhen yn ganllaw iddi
Er mwyn y mab sy'n tramwy drosti.

* * * *

Ffarwel iti bladur fach,
Y corn a'r rhipyn gritio ;
Bydd llawer cawod drom ar led
Cyn ceir dy weled eto.

* * * *

Os bûm yn ysmala, mi weithia'r cynhaea',
Pan ddelo'r ha' nesa mi dala' i chi'n deg.
Rhof wythnos i lyfnu a deuddydd i fedi
A diwrnod o chwynnu'n ychwaneg.

* * * *

Plannaf esgyll dan fy mron,
Mi a'i Bumlumon fynydd ;
Cadwaf lwyn i'm cadw'r haf
Ac yno mi gaf lonydd.

* * * *

Croeso'r gwanwyn tawel cynnar,
Croeso'r gog a'i llawen lafar ;
Croeso'r tes i rodio'r gweunydd,
A gair llon ac awr llawenydd.

ANHYSBYS

Y PORTHMON

(Rhan o bryddest "Ffenestri")

Gweld hen bethau gynt.
Gweld porthmon main yn disgyn dros y clawdd
O'r ydlan ; torri ar dafodlaes hun
Gwarchodlu'r cŵn. Ei lygaid-prynu-llo
Fel pâr efeilliaid-haul yn machlud draw
Ymhell tu hwnt i orwel pig ei gap.

Estyn ei gynnig-law yn wallgof-hael,
Ac esgus-fynd i lidiart Bwlch-y-Lôn ;
Dod 'nôl drachefn, a chynnig coron uwch
Y pris i'r cyndyn siglo-wrthod ben. Ond
Wedi'r bargeinio taer, y slap ar law
A llygaid blin cymydog yn y berth
Yn fodlon-hapus yno ar y gweld.

W. J. GRUFFYDD

I WRAIG FONHEDDIG NEUADD, LLANARTH

(Am iddi gau gafr y bardd mewn tŷ, i'w chosbi am bori'n rhy agos i'r Plas. Pan gafodd y Foneddiges y pennill, rhyddhawyd yr afr ar unwaith)

Y RHAWNDDU, fwngddu, hagar,
Beth wnest ti i'th chwaer yr afar ?
'Run gyrn a'th dad, 'run farf a'th fam,
Pam rhoest hi ar gam yng ngharchar ?

IFAN TOMOS RHYS

Y TRAMP

DAETH i'r clos yn sŵn y storom,
Troes i'r sgubor gyda'r hwyr,
Hud a rhyddid yr heolydd
Wedi'i flino'n llwyr.

Pan aeth cwsg yn drech na'r llygod,
Pan ddiffoddodd golau'r mellt,
Hwyrach i'r pererin unig
Gysgu yn y gwellt.

Cefnodd cyn i gân y ceiliog
Ddeffro'r ci yng ngodre'r clos ;
Trampio, a chael sgubor arall
Rywle gyda'r nos.

IFAN JONES

"BOB BORE Y DEUANT . . ."

DUW ei Hun roes adenydd—ei draserch
Drosom ym mhob tywydd ;
O law'r Tad bob toriad dydd
Daeth i ni fendith newydd.

J. J. WILLIAMS

SIÔN CWILT

HEN Gelt â'i got yn gwiltiog,—a'i annedd
Unnos ar fanc grugog ;
Heriwr hyf, smygliwr a róg,
Ddoe'n hynod, heddiw'n enwog.

J. LLOYD JONES

YSBRYDION

Er mor ddifyr yr hen Gymry,—Ar hyd y nos ;
Mewn tywyllwch fel y fagddu
Caent eu blino yn druenus
Gan ryw ofnau ofergoelus,
'Roedd eu dychryn yn arswydus—Ar hyd y nos.

Aent yng ngherbyd y "toiluod"—Ar hyd y nos,
Credent ym modolaeth "gwrachod"—
"Jac y Lantern" mewn siglennau
"Ladi Wen" yn gwylio'r llwybrau
Gyda "Cannwyll Gorff" yn olau—Ar hyd y nos.

Casaf peth oedd gweld "bwcïod"—Ar hyd y nos,
Yn ymsymud yn y cysgod :
Yn Pengarn 'roedd bwci enwog,—
Rhithiai weithiau fel sgyfarnog.
Yna megis mochyn bywiog,—Ar hyd y nos.

Pentan efail Gof Blaencelyn—Ar hyd y nos,
Am storïau i godi dychryn :
Hen storïau am "ysbrydion"
Dybiwn gydiai yn fy nghynffon
Wrth fynd adre—O mor wirion !—Ar hyd y nos.

E. G. JONES (SIORONWY)

YR AELWYD

Yma f'angor mewn stormydd—a fwriaf
Fore a phrynhawnddydd ;
Allor serch ar ei llawr sydd,
A chariad yw ei cheyrydd.

ALUN JONES

BOED NOËL

(Efelychiad)

PRAIDD ar y twyn yn gryno,
Gwyliai bugeiliaid yno,
Draw ar y twyn,
Tawel a mwyn :
Boed Noël Noël Noël.

Yna'r oedd cân yn hoyw,
Awyr y nos yn loyw,
Llawen y gân
Yno a glân :
Boed Noël Noël Noël.

Golau uwchlaw'n ymdaenu,
Rhyfedd uwch bro'n lledaenu,
Gwylwyr mewn braw,
Plygu gerllaw :
Boed Noël Noël Noël.

Engyl yn awr yn canu,
Newydd oedd dda'n datganu :
Brenin sy fawr
Yma i lawr :
Boed Noël Noël Noël.

Mab oddi fry a rodded,
Preseb sy'n wyn o'i nodded ;
Ceisiwch yn hy,
Seren o'n tu :
Boed Noël Noël Noël.

Gwylwyr yn hir ryfeddu,
Aethant dan ogoneddu,
Noson yn ir,
Seren yn glir :
Boed Noël Noël Noël.

Baban yn llun gogoniant,
Hwythau am Dduw a soniant :
Crymai pob un,
Plygai pob glun :
Boed Noël Noël Noël.

EUROS BOWEN

SIARAD Â'R IAR

HOEDEN hesb ! Heb oedi'n hwy—dos yn awr
Dewis nyth i ddodwy ;
Ni chaf dâl am feddalwy,
O'r hen iar dyro un wy.

ARTHUR MORGAN

OWAIN GLYNDŴR

TEYRN Sycharth ac ail Arthur,—un â'i sawdl
Ar y Sais di-dostur,
Eilun beirdd, i Walia'n bur,
A'i ffawd fu troi'n ffoadur.

TÎM SIR ABERTEIFI
O 'YMRYSON Y BEIRDD'

TRO AR FYD

" 'Chymera'i byth 'mo Deio'r Fron,"
Dywedai Siani Glanydon ;
"Bydd Ynys Enlli yn Llannon,
A môr Iwerydd heb un ton ;
Bydd Aberystwyth yn y Borth,
A'r haul yn codi yn y "north" ;
Bydd sir y Cardi'n llyn o ddŵr
Cyn byth cymera'i Deio'n ŵr."

Mae Ynys Enlli'n rhwym o hyd
Gerllaw Caernarfon yn ei chrud,
A môr Iwerydd hefyd sydd
Yn llawn o donnau nos a dydd,
Ni syflodd Aberystwyth ddim,
A chwyd yr haul 'r un man i'r dim.
Mae sir y Cardi erbyn hyn
Mor sych â'r grug ar ael y bryn ;
Ond dyna sy'n rhyfeddod mawr,
Mae Siani'n wraig i Deio'n awr !

T. C. EVANS (CLEDANYDD)

CENHINEN CYMRU

Fe wisgaf genhinen yn falch ar fy mron,
I gofio yn gynnes am Ddewi fab Non.
Ei brig sydd yn glasu fel bri yr hen sant,
A'i bôn sydd yn gwynnu fel bywyd ei blant ;
O Gymru fwyn annwyl, bydd lawen a llon,
A gwisg y genhinen yn falch ar dy fron
I gofio yn gynnes am Ddewi fab Non.

DAVID LEWIS (AP CEREDIGION)

BYWYD Y WLAD

Pob math ar fendithion, fy ngâr, am gynghorion,
  Fo'n llonni dy galon mewn dynion a da ;
Di-wael fo dy wely mewn lafant a lili,
  A'r mêl yn diferu'n dy fara.

Mae'n bwrw yng Nghwm Berwyn, a'r cysgod yn
    estyn,
  Gwna heno fy mwthyn yn derfyn dy daith,
Cei fara a chawl erfyn iachusol a chosyn,
  A menyn o'r enwyn, ar unwaith.

EDWARD RICHARD

GORSEDD Y BEIRDD

Nid y cledd ond y weddi—a'i harddwch
  A rydd urddas arni,
Mae nodded tu mewn iddi
I'r Gymraeg rhag ei marw hi.

EIN PRIFDDINAS

Wele daeth aelwyd weithian,—i'n hannwyl
  Genedl yn ganolfan ;
Dyheu 'rwyf y daw i'w rhan
Senedd o'i thras ei hunan.

TIM SIR ABERTEIFI
O ' YMRYSON Y BEIRDD '

Y GORLAN

LLE'r oeda Nant Llychesau
  A'i mynych glychau clir
I chwarae mig rhwng pibfrwyn
  Ar Esgaireglwyn hir,
Yno y mae ar erwau'r mawn
A gwastadeddau cynteddau'r cawn.

Mae'r muriau garw a tholciog
  Yn fylchog ar bob llaw,
Ond nid yw'r llawr o rwbel
  Yn bwdel yn y glaw,—
Ca'dd garped melfedaidd y borfa las
A brodwaith anniben y frwynen fras.

'D oes neb yn casglu'r preiddiau
  Iddi o'r llethrau llwyd,
Ba waeth i'r tywydd ddatod
  Ystyllod pwdr y glwyd,
Ni ddaw'r un bugail ar ferlyn broc
Mwyach i'w hagor a 'studio'r stoc.

LLEWELYN PHILLIPS

Y GANNWYLL

HOFFUS un anffasiynol,—i'r aelwyd
  Hwyr olau cartrefol ;
 A'i serchus wên hamddenol
 Yn dwyn naws hen dai yn ôl.

ALUN JONES

HEN EFAIL

DIM ond adeilad uncorn
  A'i dô rhidyllog, blêr,
Pentyrrau hen bedolau
  A chantiau ceirt a gêr,
Y fegin wichlyd, mwg tân glo
A miwsig eingion Deio'r Go'.

Deuai'r ebolion nwydwyllt
  A'r wedd borthiannus, gre',
Ceid hisian carnau'n llosgi
  A'r sawr yn llenwi'r lle ;
Ac yn ei gwrced Deio'r Go'
Yn taro'r wythoel yn eu tro.

Ond heddiw nid yw rhuban
  Y mwg ar war y gwynt,
Na'r morthwyl mawr a'r eingion
  Mewn cytgord megis cynt.
Tawelwch Sabath sydd i'r lle,—
Aeth Deio'r Go'n ei dro i'r dre'.

LLEWELYN PHILLIPS

DILLAD HAF

ESGUS o got a wisgaf,—a llodrau
    O'r lledrith teneuaf ;
  Oblegid mi a blygaf
  Y trowser rhip tros yr haf.

ISFOEL

Y BWGAN BRAIN

GŴR bawlyd garw ei bilyn—yn y rhych
Â'i freichiau'n ymestyn ;
Rhydd ei nodded i'r hedyn,
A'i fendith i'r gwenith gwyn.

T. LLEW JONES

CWSG YR HEN ŴR

ER mor drwm yw ar ei droed,—ni ŵyr mwy
Hun drom, hir ei faboed ;
Mor ysgawn yw'r gwawn ar goed—
Ysgawnach yw cwsg henoed.

SARNICOL

WYLO NEU CHWERTHIN ?

WRTH graffu ar y byd
Fe roed i ddyn ei ddewis
Rhwng wylo am a wêl o hyd
Neu chwerthin yn ei lewys.

SARNICOL

TORRI'R GYNFFON

YNFYD yw'r tad a gwtoga
Chwaraeon a chastiau crwt ;
Ni thyf yr un penbwl yn froga
Os torrir ei gwt.

SARNICOL

DIRYWIO

PAN synio dyn ei fod yn fawr
Mae'n dechrau mynd yn llai ;
Ac ar ei waeth yr â o'r awr
Y tybia'i fod heb fai.

SARNICOL

Y TŶ GWAG

YN ddi-atal o'i ddeutu,—yr ysgall
Yn ei rwysg sy'n tyfu ;
Hafod wag, ogof o dŷ,
A llwyd aelwyd ddi-deulu.

TÎM SIR ABERTEIFI
O 'YMRYSON Y BEIRDD'

HEN ESGID

HEN esgid rhy hen i'w gwisgo,—heb arrai
Fe'i bwrir hi heibio,
Ond er hyn gwna yr un dro
Am bwtyn i dramp eto.

ISFOEL

DOETHINEB

RHYWUN dwl sy'n barnu dyn
Heb weled ond ei bilyn.

SARNICOL

LLE bo'r gwaith cei'r llwybr i gyd,
Eistedd a chei dorf astud.

ISFOEL

GORWINA a gâr annoeth,
Digon sy' ddigon i ddoeth.

DEWI O'R GLYN

DAW gŵr ond peidio ag aros
I ben â'i waith erbyn nos.

ALUN JONES

AR hyd ei oes fe gâr dyn
Y pridd sy' piau'i wreiddyn.

T. LLEW JONES

NID cur yw nôd y cerydd
Od o fant gwir gariad fydd.

DEWI O'R GLYN

RHOWCH aur lwyth i ddiffrwyth ddyn,
Daw atoch yn gardotyn.

DEWI O'R GLYN

DYLED a wasg ar dlawd ŵr,
A'i olud ar uchelwr.

DEWI O'R GLYN

BUAN y denir annoeth,
Yn ara' deg y daw'r doeth.

T. LLEW JONES

Y DYN a wado ei iaith
Yw hwnnw na fedd uniaith.

ISFOEL

Y BEIRDD

BOWEN, EUROS

Ganwyd yn Nhreorci yn 1904. Mab i'r diweddar Barch. Orchwy Bowen a fu'n weinidog Annibynnol yng Nghei Newydd 1923-34. Addysgwyd yng ngholegau Aberystwyth, Rhydychen a Llanbedr. Rheithor Llangywair, ger y Bala. Enillodd ddwy goron genedlaethol am bryddestau "O'r Dwyrain" (Penybont 1948) ac i "Difodiant" (Caerffili 1950). Enillodd wobr Cyngor y Celfyddydau yn 1956 am gasgliad o farddoniaeth. Bu'n feirniad yn y Genedlaethol. Buddugol yn Eisteddfod Genedlaethol y Rhyl am gyfieithiad Cymraeg o'r Roeg o "De Incarnatione." Golygydd y cylchgrawn *Y Fflam* 1947-52.

BOWEN, GERAINT

Ganwyd yn Llanelli yn 1915. Mab i'r diweddar Barch. Orchwy Bowen, a brawd y Parch. Euros Bowen. Addysgwyd yng Nghei Newydd, Ysgol Sir Aberaeron a Cholegau Caerdydd a Bangor. Bu'n athro Cymraeg Ysgol Ramadeg Tonyrefail ac yn awr yn Ysgol Ramadeg Rhiwabon. Derbyniodd ei M.A. ar y testun "Llenyddiaeth Ceredigion 1600—1850." Enillodd y Gadair Genedlaethol yn Aberpennar am awdl foliant i'r "Amaethwr."

DAFYDD AP GWILYM (fl. 1340-70)

Ein bardd enwocaf. Ei gartref oedd Bro Gynin ger Penrhyncoch ond y pryd hynny ym mhlwyf Llanbadarn Fawr. Ei dad oedd Gwilym Gam, gŵr bonheddig pwysig yn Neheubarth Cymru. Mae'n debyg i Ddafydd dreulio tipyn o'i oes yn Felindre, Llandysul, gyda'i ewythr, Llewelyn ap Gwilym. Dyna pam y mae'r beirdd yn sôn amdano fel "Eos Dyfed" a "Bardd Glan Teifi." Claddwyd ef o dan yr ywen fawr yn Ystrad-fflur a chanodd Gruffudd Gryg gywydd i'r ywen uwchben ei fedd—

"Yr Ywen i oreuwas
Ger mur Ystrad Fflur a'i phlas."

DAVIES, DAVID CLEDLYN (CLEDLYN)

Ganwyd yng Nghwrtnewydd yn 1875. Bu'n brifathro ysgolion cynradd Moelfre, Dinbych (1895-98), Cofadail, Ceredigion (1898-1902) a Chwrtnewydd (1902 hyd ei ymddeol yn 1935). Enillodd y Gadair Genedlaethol ddwywaith, Corwen 1919 ar y testun "Proffwyd" a'r Wyddgrug 1923 ar "Dychweliad Arthur", hefyd, nifer o weithiau ar y cywydd. Cyhoeddodd lyfr poblogaidd o farddoniaeth i blant *Tusw o Flodau* (1924) a *Hanes Plwyf Llanwenog* (1936).

DAVIES, D. JACOB
Ganwyd ym Mhenlôn, Tregroes, Llandysul yn 1916. Gweinidog yr Undodiaid Aberystwyth (1941-5), Highland Place, Aberdâr (1945-7), Hen Dŷ Cwrdd, Aberdâr (1951-57), ac Alltyblaca, Ceredigion. Awdur *Cerddi'r Ddau Frawd*, *Ar Hyd y Nos*, *Noson Lawen* a *Phlwm Pwdin*. Meistr ar sgrifennu yn nhafodiaith godre Ceredigion. Enillydd yn y Genedlaethol ar stori fer. Awdur nifer fawr o raglenni radio a golygydd presennol *Yr Ymofynnydd*.

DAVIES, JAC H.
Ganwyd ym Mhenlôn, Tregroes, Llandysul, a chyd-awdur â'i frawd, y Parch. Jacob Davies, o *Cerddi'r Ddau Frawd*. Saer maen wrth ei alwedigaeth ac mae'n byw ar hyn o bryd yn y Cei Newydd.

DAVIES, JAMES KITCHENER (1902-52)
Ganwyd yn Llain, Llwynpiod ger Tregaron. Derbyniodd ei addysg yn ysgol Sir Tregaron a Choleg y Brifysgol, Aberystwyth. Bu'n athro yn ysgolion cynradd ac uwchradd y Rhondda (1926-37) ac athro Cymraeg yn ysgol Ramadeg y Pentre, Rhondda (1937-52) Awdur y dramau *Cwm Glo*, *Susannah*, *Meini Gwagedd* (drama mewn *vers libre* a enillodd glod ac anrhydedd yn Eisteddfod Genedlaethol Llandybie 1944), *Ynys Afallon* a *Y Tri Dyn Dierth*. Perfformiwyd yr olaf ynghŷd â *Meini Gwagedd* a *Swn y Gwynt sy'n Chwythu* yn Aberdâr yn 1956 gan Gwmni Drama Cyngor Gwlad Ceredigion. Ysgrifennodd y bryddest radio "Swn y Gwynt sy'n Chwythu" yn yr ysbyty ychydig cyn ei farw. Bu'n ymgeisydd seneddol dros y Blaid Genedlaethol yn y Rhondda.

DEIO AB IEUAN DU (fl. 1460-80)
Yr oedd ei gartref yn y Creuddyn, a gelwir ef yn y llawysgrifau yn "Deio Du o Benadeiniol." Canodd i uchelwyr Ceredigion, Morgannwg, Meirionnydd a Dinbych. Ef yw awdur y llinell "Y Ddraig goch ddyry cychwyn" yr hon a geir mewn cywydd gofyn am darw yn rhodd gan Siôn ap Rhys o Lyn Nedd.

EDWARDS, DAFYDD HENRY
Ganwyd yn Gwarffordd, Ffair Rhos yn 1936. Efrydydd am y weinidogaeth gyda'r Bedyddwyr ac yn awr yng Ngholeg y Brifysgol, Bangor. Un o feirdd ifanc Ffair Rhos sydd eisoes wedi ennill nifer o wobrau eisteddfodol.

EDWARDS, J.M.
Ganwyd yn Llanrhystyd yn 1903. Bu yn athro yn Aberystwyth a Llanbadarn Fawr (1925-35) ac yn awr yn athro Cymraeg, Ysgol y Bechgyn, y Barri. Enillodd y goron deirgwaith yn yr Eisteddfod Genedlaethol am bryddestau i'r "Pentref" (Machynlleth 1937), "Peiriannau" (Hen Golwyn 1941), a'r "Aradr" (Llandybie 1944). Cyhoeddwyd o'i weithiau *Cerddi'r Plant Lleiaf*, *Cerddi'r Bore*, *Y Tir Pell a Cherddi Eraill*, *Cerddi Pum Mlynedd*, *Peiriannau a Cherddi Eraill*, *Cerddi'r Daith*, a golygydd *Cerddi Prosser Rhys*.

EVANS, DAVID
Brodor o Felin Blaenau, Llanwenog. Ganed yn 1867, bu farw 1953. Treuliodd flynyddoedd olaf ei oes yn Llain, Hen Fynyw a chladdwyd ym mynwent eglwys Hen Fynyw. Bardd gwlad diwylliedig a hanesydd lleol.

EVANS, EVAN (IEUAN FARDD *neu* IEUAN BRYDYDD HIR)
Ysgolhaig, bardd ac offeiriad. Ganwyd yn ffermdy'r Cynhawdref, plwyf Lledrod 1731. Addysgwyd ef gan Edward Richard yn Ysgol Ystrad Meurig, ac yn ddiweddarach yn Rhydychen. Ef oedd ysgolhaig mwya'i gyfnod, ond yn yr eglwys ni chododd yn uwch na churad. Treuliodd lawer o'i amser yn copio hen lawysgrifau yn ymwneud â hanes a llenyddiaeth Cymru. Bu farw yn ddyn talwd yn y Gynhawdref yn y flwyddyn 1788.

EVANS, THOMAS C. (CLEDANYDD), 1872-1905.
Bardd gwlad a anwyd yn Nantygarth, Bethania.

EVANS, WILLIAM (WIL IFAN)
Brodor o Cwmbach, Llanwinio. Sir Gaerfyrddin, lle'i ganwyd yn 1883, a mab i'r diweddar Ddoctor Dan Evans fu'n weinidog Hawen, Rhydlewis o 1901 i 1929. Bu'n weinidog gyda'r Annibynwyr Saesneg yn Nolgellau, Pen-y-bont ar Ogwr a Richmond Road, Caerdydd, hyd ei ymddeol yn 1948. Addysgwyd yng Ngholeg y Brifysgol Bangor, Coleg Bala Bangor, a Choleg Manchester, Rhydychen. Enillodd y Goron Genedlaethol deirgwaith, a'r olaf ym Mhwllheli 1925 am gerdd mewn *vers libre* i "Fro fy Mebyd." Bu'n Archdderwydd Cymru 1947-50. Derbyniodd M.A. (anrhydeddus) Prifysgol Cymru 1950. Awdur 22 o lyfrau gan gynnwys 7 cyfrol o delynegion Cymraeg, 4 cyfrol o delynegion Saesneg, 2 gyfrol o adroddiadau Cymraeg, 5 drama Gymraeg, ysgrifau, cofiant, etc.

GRUFFYDD, W.J.
Ganwyd ym Mwlch y Gwynt, Ffair Rhos yn 1916. Gweinidog gyda'r Bedyddwyr yn Gelliwen a Chwm Meidrym (1946-51), Talybont (1951-56) a Hermon a Star, Penfro o 1956. Enillodd y Goron Genedlaethol ym Mhwllheli am y bryddest "Ffenestri." Awdur storïau i blant a rhaglenni radio. Awdur erthyglau wythnosol i'r *Cymro* o dan y ffugenw "Cardi" o 1952-56.

HOPKINS, B. T.
Ganwyd yn Waunhelyg, plwyf Lledrod Isaf yn 1887. Amaethwr yn byw ym Mlaenpennal, canolbarth Ceredigion. Y mae ei gywydd i Ros Helyg yn un o gywyddau enwoca'r iaith. Pan yn ifanc enillodd nifer o gadeiriau eisteddfodol, ond rhoes y gorau i gystadlu ers rhai blynyddoedd bellach.

IOAN SIENCYN (1716-96)
Un o feirdd enwog Cwmdu, Llechryd. Crydd ac athro yn un o ysgolion Griffith Jones, Llanddowror. Brawd Nathaniel Siencyn o Dafarn Sgawen. Claddwyd yn Llangoedmor.

JAMES, DAVID EMRYS (DEWI EMRYS) 1881—1952
Ganwyd mewn tŷ o'r enw "Majorca" yn y Cei Newydd yn 1881, ond magwyd ef ym Mhen Caer, Sir Benfro. Bu'n gysodydd ac yn newyddiadurwr yng Nghaerfyrddin ond wedyn aeth i'r Coleg Presbyteraidd yno, ac ordeiniwyd ef yn weinidog yn 1906. Enillodd bedair cadair Genedlaethol, sef yn Lerpwl 1929, Llanelli 1930, Bangor 1943 a Phen-y-bont ar Ogwr 1948. Enillodd y Goron hefyd unwaith. Bu am flynyddoedd yn athro beirdd llwyddiannus ym Mhabell Awen y *Cymro*. Bu farw yn y Bwthyn, Talgarreg, Llandysul ym mis Medi 1952. Cyhoeddodd lyfrau, sef *Ysgrifau, Y Cwm Unig, Cerddi'r Bwthyn* ac *Odl a Chynghanedd*, etc.

JENKIN, NATHANIEL (NATHANIEL SIENCYN), 1722-99
Un o feirdd Cwm Du, Llechryd. Ganwyd tua 1722. Fel ei frawd Ioan Siencyn a'i dad Siencyn Tomos, yr oedd yn fardd enwog yn ei ddydd. Treuliodd ran olaf ei oes yn Nhafarn Sgawen gerllaw'r Plwmp. Claddwyd tua 1799 ym mynwent Llangrannog, a phregethodd y Parch. Dafydd Dafis, Castellhywel yn ei angladd.

JENKINS, D. LLOYD
Brodor o Landdewi Brefi. Prifathro Ysgol Uwchradd Tregaron. Addysgwyd yng Ngholeg y Brifysgol Aberystwyth ac yn Rhydychen. Enillodd y Gadair yn Eisteddfod Genedlaethol Llandybie 1944. Awdur *Awelon y Bore*, etc.

JENKINS, EVAN
Ganwyd yn y Tynewydd, Ffair Rhos ac mae'n byw ar hyn o bryd yn Ffynnon Fawr, Ffair Rhos. Addysgwyd yn Ysgol Uwchradd Tregaron ac yng Ngholeg y Brifysgol, Aberystwyth. Bu'n ysgrifennydd Undeb Cymdeithasau Cyfeillgar Ceredigion o 1924 hyd 1948. Enillodd lawer o gadeiriau eisteddfodol ac amryw wobrau yn yr Eisteddfod Genedlaethol. Fel cynganeddwr a thelynegwr y mae ymhlith goreuon beirdd y Sir.

JENKINS, JOHN (CERNGOCH), 1825-94
Ganwyd yn ffermdy Blaenplwyf, yn Llanfihangel Ystrad yn 1825. Bardd gwlad enwog. Canodd lawer iawn o benillion priodas a phenillion marwnad ar gais pobl ei ardal. Gelwid ef gan y rheini yn "Siaci Penbryn" am mai mewn ffermdy o'r enw Penbrynmawr y treuliodd y rhan fwyaf o'i oes. Bu farw yn 1894 a chladdwyd ef ym mynwent capel Rhydygwin.

JONES, ALUN
Ganwyd yn y flwyddyn 1897. Yr ieuangaf o fechgyn y Cilie. Ef sydd yn ffermio yno ar hyn o bryd. Telynegwr dawnus ac un o'n

henglynwyr gorau. Enillydd nifer o wobrau yn yr Eisteddfod Genedlaethol.

JONES, DAFYDD (FFAIR RHOS).
Un o feirdd Ffair Rhos a swyddog i Bwyllgor Amaeth Sir Aberteifi. Ganwyd yn Nhynfron, Ffair Rhos yn 1907. Dechreuodd ei yrfa fel bugail. Daeth yn delynegwr campus ac enillodd nifer o gadeiriau pwysig. Daeth ei bryddest i'r "Arloeswr" mor agos at y Goron yn Eisteddfod Genedlaethol Aberpennar nes peri i un beirniad ddweud wedi hynny y dylasai fod dwy goron yn yr eisteddfod honno. Enillodd yn y Genedlaethol am gywydd coffa i D. R. Hughes (Pwllheli) ac am y delyneg "Yr Awr Dawel" (Aberdâr).

JONES, DAFYDD (ISFOEL)
Ganwyd ym Mlaencelyn, plwyf Llangrannog yn 1881. Y mae Isfoel yn enwog am ei benillion ffraeth a'i englynion. Mae'n byw ar hyn o bryd yng Nghilygorwel, gerllaw Pontgarreg. Gof a ffermwr wrth ei alwedigaeth.

JONES, ELUNED ELLIS (gynt ELUNED ELLIS WILLIAMS)
Brodor o Landdewi Brefi a enillodd glod iddi ei hun yn ifanc trwy gipio cadair Eisteddfod Genedlaethol yr Urdd a chadeiriau eraill. Ymddangosodd peth o'i gwaith yn *Awen Aberystwyth*. Bu'n drefnydd ieuenctid o dan Bwyllgor Addysg Sir Aberteifi cyn priodi a myned i fyw i Flaenau Ffestiniog. Beirniad yn y Genedlaethol ar y gerdd dant.

JONES, EVAN GEORGE (SIORONWY), 1892-1952
Un o fechgyn y Cilie. Ffermwr, bardd ac awdur nifer o storïau byrion digri. Cymeriad hoffus a fynnodd lynu ar hyd ei oes wrth yr hen ffordd Gymreig o fyw. Claddwyd ym mynwent Capel y Wig, plwyf Llangrannog.

JONES, GERALLT
Ganwyd yn Rhymni, Sir Fynwy yn 1907. Treuliodd gyfnodau hir yn y Cilie, ger Llangrannog, ac yn Nhalybont, lle bu ei dad, y diweddar Barch. Fred Jones, yn weinidog. Gweinidog gyda'r Annibynwyr Brynaman (1940-55) a Llanuwchllyn. Enillodd wobrau yn yr Eisteddfod Genedlaethol am ysgrif ac am gyfieithiad i'r Gymraeg (gyda'i briod) o "Creation" (Handel).

JONES, GWILYM CERI
Brodor o Rydlewis a chyn-ddisgybl o Ysgol Ramadeg, Llandysul. Addysgwyd hefyd yng Ngholeg y Brifysgol Aberystwyth. Gweinidog gyda'r Methodistiaid Calfinaidd yng Nghlydach, ger Abertawe. Enillodd y Gadair Genedlaethol yn Eisteddfod Pwllheli 1955 am awdl i "Gwrtheyrn."

JONES, IDWAL (1895-1937)
Ganwyd ef yn Llanbedr Pont Steffan ac yno hefyd y bu farw wedi hir waeledd. Yn ei wely y cyfansoddodd y rhan fwyaf o'r ddau lyfr a gyhoeddwyd sef *Cerddi Digri* (1934) a *Cherddi Digri Newydd* (1937). Wedi bod trwy'r Rhyfel Mawr cyntaf graddiodd yng Ngholeg Aberystwyth. Wedi hynny bu'n Ysgolfeistr ym Mhont-ar-fynach. Lluniodd lawer o ddramau poblogaidd ynghŷd â chomedi-gerdd *Yr Eosiaid* (1936).

JONES, IFAN
Brodor o Brengwyn ger Llandysul. Telynegwr medrus ac oriorydd wrth ei alwedigaeth. Mae'n byw yn awr yn y Waun Fawr ger Aberystwyth ac mae ganddo siop yn y dref honno. Enillodd wobr am delynegion yn yr Eisteddfod Genedlaethol.

JONES, JOHN ALUN
Morwr a chapten llong. Nai i feirdd y Cilie, lle'i ganwyd yn 1908. Magwyd yn y Gaerwen, plwyf Llandysiliogogo.

JONES, JOHN LLOYD
Ganwyd a magwyd ym Mhenlleine ger Synod Inn. Mae'n byw ar hyn o bryd ym Mhenparciau, Llwyndafydd. Ffermwr wrth ei alwedigaeth a bardd gwlad adnabyddus. Ei hoff fesurau yw'r englyn a'r cywydd. Enillodd ar englyn yn y Genedlaethol.

JONES, J. R. (GWERNFAB)
Ganwyd yn Penrhos, Corris yn 1923. Ffermwr ifanc yn byw yn y Werndeg, Talybont. Adroddwr enwog ac enillydd nifer o gadeiriau am farddoniaeth.

JONES, RICHARD (DIC JONES)
Ganwyd yn Penygraig, Tre'rddôl, Machynlleth yn 1934. Ffermwr ifanc yn byw ar hyn o bryd yn yr Hendre, Blaenannerch. Addysgwyd yn Ysgol Ramadeg Aberteifi. Enillodd lawer o lawryfoedd eisteddfodol yn ifanc iawn. Cipiodd Gadair Eisteddfod Genedlaethol yr Urdd deirgwaith yn olynol.

JONES, SIMON B.
Ganwyd yn 1894. Gweinidog gyda'r Annibynwyr ym Mheniel a Bwlchycorn, Sir Gaerfyrddin. Enillodd y Goron Genedlaethol am bryddest "Rownd yr Horn" yn Wrecsam, 1933, a'r Gadair Genedlaethol am awdl "Tŷ Ddewi" dair blynedd yn ddiweddarach.

JONES, T. HUGHES
Ganwyd yn Nhanrallt, Blaenpennal yn 1895. Addysgwyd yn Ysgol Sir Tregaron a Choleg y Brifysgol, Aberystwyth. Bu'n athro yn Ysgol Sir y Dref Newydd ac yn awr yn ddirprwy Brifathro Coleg Hyfforddi Wrecsam. Awdur straeon byrion fel *Sgweier*

Hafila a enillodd iddo y Fedal Ryddiaeth yn Eisteddfod Genedlaethol 1940, *Mewn Diwrnod a Storiau Eraill* a nofel ar hanes y Rhyfel Mawr cyntaf sef *Amser i Ryfel*.

JONES, T. LLEW
Ganwyd ym Mhentrecwrt, Llandysul yn 1915. Bu'n ysgolfeistr yn Nhregroes, ac yn awr yn ysgolfeistr yng Nghoedybryn ger Llandysul. Addysgwyd yn Ysgol Ramadeg Llandysul ac yng Ngholeg Hyfforddi Athrawon Caerdydd. Enillydd cyson yn y Genedlaethol ar gywydd, englyn a hen benillion. Awdur rhaglenni "Awr y Plant," storïau i blant yn *Cen Ceredigion, Storïau Awr Hamdden, a* chyd-awdur *Llyfr Sian a Iolo*. Enillodd y Gadair yn Eisteddfod Genedlaethol Glyn Ebwy 1958 am awdl ar y testun "Caerlleon". Golygydd y gyfrol hon.

LEWIS, DAVID (AP CEREDIGION), 1870-1948
Ei gartref oedd Tynygwndwn, plwyf Cilcennin. Offeiriad, Bardd a Golygydd.

LLOYD-ELLIS, MEGAN (gynt MEGAN EVANS-JONES)
Ganed yn y Sarnau, godre Ceredigion 1917. Enillydd nifer o gadeiriau eisteddfodol pwysig. Mae'n byw ar hyn o bryd ym Mhwllheli. Cyhoeddodd lyfr o gerddi yn dwyn y teitl *Murmuron*.

MORGAN, ARTHUR
Englynwr medrus o Gwmystwyth.

MORGAN, DEWI
Newyddiadurwr. Ganwyd ym Mrynderwen, Penybont, plwyf Llanfihangel Geneu'r Glyn yn 1877 a threuliodd ei fywyd yn yr un ardal. Derbyniodd addysg elfennol yn Rhydypennau ond diwylliodd ei hunan a dysgodd nifer o ieithoedd tramor. Mae'n feistr ar yr englyn ac enillodd arno yn y Genedlaethol am y "Gragen" (1915), "Y Bluen Eira" (1919), a "Dolef y Gwynt" (1921). Cipiodd Gadair Genedlaethol Pwllheli, 1925, am awdl i "Gantre'r Gwaelod." Enillodd wobrau hefyd am gyfieithiadau. Bu'n gyfeillgar iawn â T. Gwyn Jones.

PHILLIPS, DAVID (DEWI O'R GLYN)
Ganwyd ym mhentre Maeshir, Glyn Nedd yn 1873. Gyrrwr tren oedd wrth ei alwedigaeth ac mae'n byw yn Aberystwyth ers 1924. Cipiodd y wobr yn y Genedlaethol (1952) am epigramau ac enillodd nifer helaeth o wobrau mewn eisteddfodau eraill. Y mae'n honni ei fod o linach Daniel Rowlands, Llangeitho.

PHILLIPS, LLEWELYN
Ganwyd 1914 ym mhlwyf Llanfyrnach, Sir Benfro, addysgwyd yn Ysgol y Sir, Aberteifi a Choleg y Brifysgol, Aberystwyth gan raddio mewn Gwyddor Gwlad. Er pan adawodd y Coleg yn 1936 bu yn was cyflog i Fridfa Blanhigion Cymru,—am yr 11

mlynedd gyntaf yn arloesi bryniau'r Hafod ac yna yn y pencadlys, ym Mhlas Gogerddan. Daeth yn gyd-fuddugol ar soned yn Eisteddfod Genedlaethol y Rhos yn 1945.

REES, JOHN RODERICK
Brodor o Benuwch ac athro ar hyn o bryd yn Ysgol Uwchradd Tregaron. Addysgwyd yn ysgol uwchradd Tregaron ac yng Ngholeg y Brifysgol Aberystwyth, lle y graddiodd gydag Anrhydedd Dosbarth Cyntaf mewn Cymraeg. Telynegwr da ac un o'n beirdd ifainc mwyaf addawol.

RHYS, EDWARD PROSSER (1901-45)
Magwyd ef ym Mhentre Mynydd, Bethel, ar un o rosydd y Mynydd Bach, heb fod ymhell o Lyn Eiddwen. Newyddiadurwr. Cyhoeddwr. Sefydlydd Gwasg Aberystwyth a'r Clwb Llyfrau Cymraeg. Bu am flynyddoedd yn olygydd *Y Faner*. Enillodd y Goron Genedlaethol yn Eisteddfod Pontypwl.

RHYS, IFAN THOMAS (c. 1740-62)
Ganwyd yn Llwyndafydd, plwyf Llandysiliogogo. Crydd oedd ei dad a chrydd oedd yntau er iddo unwaith roi ei fryd ar fod yn offeiriad. Ond pan oedd yn ddeunaw oed bu ei dad farw a bu rhaid iddo wedyn droi ei gefn ar yr Eglwys a glynu wrth ei grefft. Bu fyw y rhan fwyaf o'i oes yn Llanarth, ac yr oedd yn gyfeillgar â Ioan Siencyn a Nathanial Siencyn—dau o feirdd Cwmdu. Gellir gweld rhagor o'i waith yn *Diliau'r Awen* dan olygiaeth W. H. Griffiths a gyhoeddwyd yn 1842.

RICHARD, EDWARD (EDWARD RHISIART), 1714-77
Ysgolfeistr, ysgolhaig a bardd. Ganwyd yn Ystrad Meurig. Addysgwyd yn Ysgol Ramadeg y Frenhines Elizabeth, Caerfyrddin ac yn ddiweddarach gan un o'r enw Puw ym Mhorthygido, Llanarth. Cychwynodd ei ysgol ei hun yn Ystrad Meurig yn 1736 a daeth ei ysgol yn un enwog iawn. Meistr ar y mesur Tri Thrawiad.

THOMAS, JENKIN GARFIELD
Ganwyd yn Llwynfedw, Mydroilyn yn 1886. Magwyd gan ei dri ewythr—Stephen, Thomas a Watkin James a oedd yn ymddiddori mewn prydyddu, yn enwedig englyna. Bu'n dilyn cwrs mewn amaethyddiaeth yng Ngholeg Aberystwyth ac yn ffermio yn Nyffryn Aeron cyn ymneilltuo. Enillodd nifer o wobrau mewn eisteddfodau lleol am englynion, tribanau a thelynegion.

THOMAS, THOMAS JACOB (SARNICOL), 1873-1945
Brodor o Ffostrasol, Llandysul. Addysgwyd yng Ngholeg y Brifysgol Aberystwyth. Bu'n Brif Athro Ysgol Ramadeg Mynwent y Crynwyr ger Merthyr ac ar ôl ymddeol bu'n byw yn Aberystwyth. Enillodd y gadair Genedlaethol yn 1913 am awdl i "Aelwyd y Cymro." Cyhoeddodd nifer o lyfrau, sef *Storiau ar Gân*, *Blodau Drain Duon*, *Chwedlau Cefn Gwlad*, etc.

WILLIAMS, FRED
Nai i feirdd y Cilie yn byw yn Nhroedyrhiw, Llwyndafydd. Ganed yn y Felin, Cwmtydu. Ffermwr wrth ei alwedigaeth. Englynwr a chywyddwr medrus.

WILLIAMS, JOHN
Ganwyd yn Dolau Aeron, Llangeitho yn 1885. Bu'n amaethwr yn Llanddewi Aberarth cyn ymddeol a mynd i fyw i Aberaeron. Llenor cefn gwlad o'r radd orau ac enillydd nifer o wobrwyon mewn eisteddfodau. Cafodd ei hunangofiant ei wobrwyo mewn cystadleuaeth a drefnwyd gan Bwyllgor Addysg Ceredigion.

WILLIAMS, JOHN JAMES (J.J.), 1869-1954
Ganwyd yn Tai Gwynion, Llanfihangel Geneu'r Glyn. Yn ystod ei fywyd bu yn Archdderwydd ac yn un o'r beirdd a'r beirniaid amlycaf yng Nghymru. Gweinidog gyda'r Annibynwyr yn Nhreforus oedd J.J. pan fu farw a chladdwyd ef yno yn 1954. Er iddo dreulio'r rhan fwyaf o'i oes y tu allan i'r Sir ni pheidiodd â hiraethu amdani, fel y dengys ei gerddi yn y gyfrol hon. Awdur *Straeon y Gilfach Ddu*, *Y Lloer a Cherddi Eraill* ac emynau poblogaidd.